SIMONE KRIJGT HET DRUK

Simone
krijgt het druk

door
HEDDA BEEKMAN

Illustraties door
HERRY BEHRENS

Voor meisjes tot 9 jaar

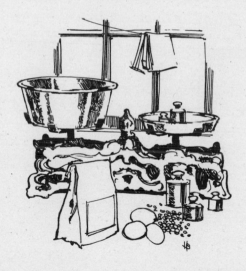

UITGEVERIJ KLUITMAN ALKMAAR

Simone doet leuke dingen in:

Simone en de zwarte ooievaar
*
Simone en het schoolfeest
*
Simones muzikale verrassing
*
Simone aan het spinnewiel
*
Simone op de schaats
*
Simone schrijft een brief
*
Simone gaat kamperen
*
Simone zorgt voor een lammetje

HOOFDSTUK 1

Simone gaat bij oma en opa logeren

Simone verheugt zich op het bezoek aan oma en opa. Ze is er lang geleden voor het laatst geweest. Oma was toen jarig en werd 67 jaar. Van de kinderen en kleinkinderen kreeg ze toen een kleurentelevisie cadeau. Simone kan oma's verjaardag nog goed herinneren. Niet alleen hun twee kinderen en drie kleinkinderen waren van de partij, maar ook al hun kennissen en buren uit het dorpje, vlak bij de zee. Simone heeft toen met oma afgesproken dat ze heel gauw een paar dagen zou komen logeren. Maar het kwam er steeds maar niet van.

Het was eigenlijk de bedoeling om in de krokusvakantie naar oma en opa toe te gaan, maar het grote avontuur met Wolletje, het lammetje, kwam ertussen.

Simone zit op het randje van haar bed en kijkt een allerlaatste keer het koffertje na.

Broekjes, hemdjes, tandenborstel, pyjama, twee lange

broeken, shirts, trui, sokken en haar knuffeldier. Meer hoeft ze niet mee te nemen. Een rok met blouse heeft ze aan en daarover heen trekt ze straks haar jasje. „Nou, bed, tot volgende week dan maar. Op deze manier heb je ook een paar dagen rust," lacht Simone en geeft vrolijk een klap op het voeteneind van het bed.

„Zeg je niets terug, nu jouw grootste vriendin enkele nachtjes bij oma gaat slapen? Je zal me vast wel missen, wat ik je brom..."

Ze kijkt een laatste keer haar slaapkamer in. Alles ligt er keurig bij. Het bed heeft ze vanochtend zelf opgemaakt en de sprei ligt dit keer zonder kreukels over de dekens. Simones moeder hoeft nu niet boos te zijn, want alles ligt op zijn plaats.

Simone ruimt nooit haar slaapkamertje op. Het kan er vaak een grote rommel zijn. Vooral als Jolanda en Annemiek bij haar hebben gespeeld, is haar slaapkamer helemaal overhoop gehaald.

Dat komt omdat ze dan de gekste spelletjes doen. Soms is het kamertje een televisie-studio, waar de meisjes televisie-programma's presenteren.

Simone doet eindelijk de slaapkamerdeur dicht en wandelt met het koffertje in de hand naar de trap.

„Ben je al zover? Paps zit al tien minuten op je te wachten!" roept Simones moeder beneden aan de trap.

„Ik kom er aan, mams. Ik moest nog van alle poppen en beesten afscheid nemen," antwoordt ze lachend.

Eenmaal in de kamer zitten tot Simones grote verrassing ook haar vriendinnen Jolanda en Annemiek bij de tafel.

10

„Wat doen jullie hier?" roept ze verbaasd. „Jullie weten toch dat ik naar oma en opa ga?"

De meisjes knikken vriendelijk.

„We wilden afscheid van je nemen. We zien elkaar tenslotte vier dagen niet. We kunnen ook zo moeilijk buiten je," zeggen ze vrolijk.

„Ha, ha, ha . . . Wat moet dat later dan, als ik ooit eens trouw? Dan wil ik jullie niet iedere dag op bezoek hebben, hoor."

Zoals altijd is het weer een gezellige boel in de kamer van de familie Brandsen. Simones moeder maakt vlak voor het vertrek van Simone nog even warme chocolademelk en de koektrommel komt er natuurlijk ook aan te pas.

Zandkoekjes zijn dit keer de traktatie. Koekjes die door Simone en haar moeder zijn gebakken.

„Maar vertel eens, wat gaan jullie doen als ik er niet ben? Geen gekke dingen doen en kattekwaad uithalen, hoor. Als ik dat merk, wil ik jullie vriendin niet meer zijn," gniffelt Simone.

„Gekke dingen doen, kan alleen met z'n drietjes. Dat weet je best, Simone," zegt Jolanda.

Simone knikt. Echt leuke dingen beleven ze altijd met z'n drieën. Als een van de drie ontbreekt, gebeurt er maar zo weinig. Dan is het nooit echt spannend.

„Konden we maar met je mee, Simoon. Als oma Brandsen nu toch eens drie slaapplaatsen had. Wat zouden we dan een lol kunnen hebben," zegt Annemiek.

„Meisjes, jullie moeten goed beseffen dat oma Brandsen ook niet meer zo piepjong is. Drie van die kraaiende meisjes is op haar leeftijd te veel. Dat kan ze niet meer aan. En opa is ook bijna zeventig. Die behoort ook niet meer tot de allerjongsten."

De meisjes kunnen zich dat goed voorstellen. Drie logés betekent extra veel werk en dat kunnen de meeste mensen op die leeftijd niet lang volhouden.

„Misschien een andere keer en dan voor één nachtje," stelt Simones vader voor.

„Hoi, hoi, hoi . . ." juichen de vriendinnen in koor.

„En als het mooi weer is, kunnen we heerlijk naar het strand. Dat is dichtbij. Vijf minuten fietsen, hè, mams?"

Simones moeder knikt.

Oma en opa Brandsen hebben het best naar hun zin in het huisje, vlak bij zee.

Oma doet veel aan handwerken, leest dikwijls en is lid van het zangkoor.

Opa wandelt vaak langs het strand, fietst door de bossen en helpt bijna iedere middag de kruidenier van het dorp. Soms helpt hij in de winkel, maar meestal brengt hij de boodschappen, die door de klanten zijn besteld, naar hun bestemming.

Opa heeft, zoals de mensen dat in het dorp zeggen, een bestelwijk, een uitbrengwijk.

Opa Brandsen hoeft niet meer te werken. Ruim vier jaar geleden is hij 65 jaar geworden en gestopt met werken. Voor zijn plezier helpt hij nu de kruidenier.

„Om wat om handen te hebben," zegt hij altijd vrolijk. Samen gaan ze er veel op uit.

Drie keer per jaar nemen ze vakantie. Altijd één busreis naar Duitsland of Oostenrijk, één vliegreis naar een land aan de Middellandse Zee en twee weekjes in een zomerhuisje, ergens in Nederland.

„Zo, nu verder geen gebabbel meer. Afscheid nemen en wegwezen," stelt Simones vader voor.

Jolanda en Annemiek staan op en lopen naar Simone.

„Nou, Simoon, het allerbeste, hoor. Doe erg voorzichtig en zorg ervoor dat je geen gekke dingen uithaalt. Denk veel aan ons, want we zijn zó alleen . . ."

Annemiek geeft Simone een kus op de wang.

Simone moet hard lachen om dit afscheid dat heel verdrietig door haar vriendinnen wordt gespeeld. Dat doen ze wel meer. Ook als ze elkaar één dag soms niet zien.

„Enne, bel ons snel een keer op," voegt Jolanda er huilerig aan toe. Natuurlijk huilt ze niet echt, maar dat hoort nu eenmaal bij het afscheidsspel, dat de vriendinnen hebben ingestudeerd.

„Ik zal je missen, Jolan. Ik zal iedere dag aan je denken. En aan jou ook, Annemiek. Wees je goed voor alle beestjes op de boerderij? Zeg ze maar dat Simoontje snel weer thuis komt en ze zo spoedig mogelijk komt opzoeken. Zul je dat doen, Annemiekje?"

Hoofdschuddend kijken Simones vader en moeder toe.

Wat een malle meiden, denkt moeder.

Wat een toneelspeelsters, denkt vader.

„Laatste keer, Simoon: we gaan. En nu echt!"

Simone vliegt haar moeder om de nek. „Mams, ik bel u vanavond. Vlak voordat ik naar bed ga. Dan weet u meteen dat ik echt op tijd ga slapen . . ."

„Nou, dat merken we wel. Oma houdt wel een oogje in

het zeil. Dat kan ze best, wat jij pap?"

„Daar kan ik lange verhalen over vertellen, maar dat doe ik liever een andere keer."

Jolanda pakt de koffer van Simone. Annemiek houdt Simones jas vast en helpt haar met aantrekken. Voor Simone en haar moeder is niets te doen.

Annemiek houdt de kamerdeur open, maakt een diepe buiging als de dames de kamer verlaten en rent dan door de keuken om de keukendeur op precies dezelfde manier open te houden.

Jolanda en Annemiek spelen nu hofdames. Simone is koningin. De auto van Simones vader moet een koets voorstellen.

Als Simone met haar moeder en Annemiek naar de auto wandelt, blijft Jolanda met Simones koffertje heel even achter in de schuur.

Ze trekt de rits los en stopt iets in de koffer.

Het moet heel snel gebeuren anders heeft Simone er erg in dat Jolanda zo lang wegblijft.

Alles loopt prima.

Jolanda heeft de anderen weer bereikt en laat het koffertje in de achterbak van de auto zakken. Annemiek houdt keurig het voorportier van de auto open. „Gaat u zitten, hoogheid," grijnst ze. Dan is het spel uit. Nu nemen ze allemaal echt afscheid van elkaar.

En met een verrassing voor Simone in haar koffer rijdt de auto, met Simones vader achter het stuur, even later weg.

Simone wordt lang nagewuifd door haar moeder en haar twee vriendinnen.

14

HOOFDSTUK 2

De ontvangst is allerhartelijkst

De ontvangst is allerhartelijkst. Simone vliegt oma om de nek of ze haar jaren niet heeft gezien. Opa Brandsen krijgt op iedere wang dikke klapzoenen.

,,Kind, wat zie je er prachtig uit," glundert oma, die lang geen kleinkinderen te logeren heeft gehad. Natuurlijk heeft Simone voor haar grootouders een cadeautje meegebracht. Voor oma een grote bos bloemen die onderweg is gekocht en voor opa een doosje sigaartjes, waarvan hij heerlijk kan genieten. Allebei zijn ze er ontzettend blij mee.

,,Wat fijn je weer eens te zien. En wat is je haar gegroeid sinds ik je de laatste keer heb gezien. Er lijkt wel twintig centimeter haar bijgekomen," zegt oma.

Simone moet oma teleurstellen. De laatste keer dat ze bij oma was, had ze het haar gevlochten, waardoor het veel korter leek.

,,Nou, kinderen van me, ga gauw zitten. Ik zet een lekker kopje koffie. Jij ook, opa?"

15

„Nou vooruit maar. Maar het is wel mijn derde kop koffie al vandaag. Te veel is ook niet goed."

Oma loopt lachend de keuken in. „Als je gezond wilt eten en leven, moet je bij opa in de leer gaan, Simoon. Geen snufje zout te veel, geen korrel suiker te veel, weinig aardappels en veel groenten ... Maar aan een sigaartje minder per dag denkt opa niet," zegt ze vanuit de keuken.

Opa Brandsen kijkt zijn zoon, Simones vader, en kleindochter aan. „Oma meent het niet zo," zegt hij lachend. „Oma zou graag willen dat zij er zo'n goede leefgewoonte op na kon houden. Dat is het hele punt ..."

Simone en vader lachen.

Die twee hebben het echt gezellig met elkaar, denken ze.

Als oma met koffie en chocolademelk binnenkomt, wil ze natuurlijk direct weten waarover opa zat te mopperen.

„Ik wil mijn zoon net vertellen dat oma met haar huisje en niet met mij is getrouwd. Oma zit vastgeroest aan de stoel bij het voorraam. Daar is ze met geen mogelijkheid uit vandaan te krijgen. Tja, alleen dan de avond van de zangvereniging en de bejaardenknutselclub. Maar anders ook niet."

Lachend en knipogend naar Simone en haar vader gaat oma zitten. Hoewel de stoel wat ver bij de tafel vandaan staat, ploft ze automatisch neer in de stoel bij het raam. Maar gelukkig heeft ze het zelf in de gaten. Ze wilde daar helemaal niet gaan zitten, want als ze visite heeft, schuift ze gezellig bij de anderen bij.

Vrolijk staat ze weer. „Ach, opa heeft gelijk. Maar wat

kan ik er aan doen? Ik voel me in dat hoekje van het huis het allerbest."

Oma en opa willen natuurlijk weten hoe het met mams gaat. En met de hond en het lam natuurlijk die erbij zijn gekomen.

Simone vertelt honderduit over de dieren.

Ze vergeet dat ze oma per telefoon al eens het hele verhaal heeft verteld over hoe ze aan Wolletje, het lam en Boef, de hond, is gekomen. In geuren en kleuren trekt de krokusvakantie weer aan haar voorbij. Oma en opa doen alsof ze het verhaal niet kennen en genieten er opnieuw van.

Natuurlijk informeert Simones vader ook naar de gezondheid van zijn vader en moeder.

Het gaat uitstekend met ze. Oma is enkele keren goed verkouden geweest, maar opa is de winter zonder één zakdoek en één kuch doorgekomen, vertelt hij trots.

,,Maar dat is natuurlijk begrijpelijk, want oma zit maar te zitten en ik trek erop uit. Zonder mijn uitbrengwijkje was ik nergens," vertelt hij vrolijk. ,,Maar Jacob Gelder van de winkel loopt, volgens mij, ook al veel te lang met een verkoudheidje. Er komt geen einde aan. Nou neem ik de laatste week heel wat werk van hem uit handen, maar echt beter is hij nog steeds niet. Maar Jacob is eigenwijs. Hij gaat niet naar een dokter. Hij moet eerst doodziek zijn en dan pas waarschuwt hij de dokter . . ."

,,Moet u vanmiddag al boodschappen wegbrengen, opa?"

,,Waarom wil je dat weten? Omdat je soms mee wilt?"

Simone knikt. ,,Dat lijkt me hartstikke leuk. Mag u ook

met de klanten afrekenen?"

„Wat dacht je nou? Het is bij mij gelijk oversteken. Boodschappen brengen en betalen ..."

„O, mag ik vanmiddag dan met u mee?"

Opa schudt zijn hoofd. „Vanmiddag heb ik vrij genomen. Een halve snipperdag zo gezegd, want je denkt toch niet dat ik ga werken als mijn kleindochter er is. Wat maak je me nou?" Simone lacht. Fijn, twee van die heerlijke lieve grootouders te hebben. Ze zijn altijd vrolijk en nooit mopperig. Ze hebben nog steeds plezier in hun leven. Dat is Simone wel duidelijk geworden.

„Dan ga ik er weer eens vandoor," zegt Simones vader. „Ik heb ook maar een halve snipperdag en die is zo weer om," lacht hij.

Pap Brandsen neemt afscheid van zijn dochter, die hij over vijf dagen weer komt ophalen. Hij belooft oma die dag te blijven eten. Samen met Simones moeder en Simone natuurlijk maken ze er dan een prettige dag van.

Oma, opa en Simone lopen met pap Brandsen mee naar de auto.

Oma stopt Simones vader nog een pepermuntje in de hand voor onderweg.

Als hij de autogordel heeft vastgemaakt, start hij de auto en rijdt weg.

Met z'n drietjes gaan ze terug naar de kamer.

Opa zet de radio aan en heel zachtjes klinkt er vrolijke muziek uit de luidsprekers.

Oma brengt direct Simones koffertje naar boven om de kleren een plaatsje in de kast te geven.

Simone kijkt de kamer rond en komt de foto's tegen waarop haar vader als jongetje van tien jaar staat afgebeeld naast zijn broer.

Op de schoorsteen boven de kachel staat de trouwfoto van haar ouders.

Een glimlach trekt rond haar mond.

Toen waren ze jong, nu niet zo erg meer, denkt ze.

Zo gaat dat, iedereen wordt oud...

,,Simoon...''

Ze was even in gedachten weggezonken. Nu ze opa hoort, weet ze weer waar ze is.

,,Ja, opa, ik kom eraan,'' roept ze hem toe.

,,Ik heb oma's fiets drie weken geleden een opknapbeurtje gegeven. Als oma het goed vindt, trekken we er vanmiddag even op uit. Ik heb een mooie fietsroute uitgezocht. Die gaat dwars door het bos naar zee. Hoe vind je dat?''

,,Prachtig, opa. Ik zou nu wel wegwillen...''

,,Nee, we eten eerst gezellig een boterhammetje en dan gaan we de geur van het zeewater opsnuiven. Enne... ik heb van oma deze week een extra zakcentje gekregen voor het kopen van een ijsje,'' zegt hij serieus.

,,Ik ook,'' lacht Simone. ,,Ik heb geld meegekregen om morgen of overmorgen op een gebakje te trakteren.''

,,Gebak? Dat is slecht voor de tanden en het hart. Dan trakteer je mij maar op iets anders.''

Oma keert terug in de kamer. ,,Wat belooft opa je? Trakteert hij ons op gebak?'' vraagt ze grijnzend.

,,Nee, ik trakteer op gebak. Maar opa wil dat niet hebben.''

19

„Ik heb nog een trommel tarwebiskwie, dan eet hij daar maar van. Wij nemen gebak, Simoon. Laten we er nog maar van genieten. Nu kan het nog ..."

Oma loopt direct door naar de keuken om de bos voorjaarsbloemen in het water te zetten.

Simone blijft in de kamer achter. De laatste woorden van oma dreunen in haar hoofd na.

„Nu kan het nog ..."

Tja, dan beseft ze echt dat ze ouder worden. Lang waren het voor haar de jonge oma en opa. Nu zijn het ineens die jonge oma en opa niet meer. Niet dat ze echt oud zijn natuurlijk, maar bijna zeventig jaar is toch al heel wat.

„En kijk toch eens, zo'n fleurige, vrolijke voorjaarsruiker zo vlak voor de paasdagen. Soms vraag ik me weleens af hoe het mogelijk is nu al echte voorjaarsbloemen in huis te hebben. De kwekers staan tegenwoordig voor niets."

Simone helpt oma met het wegbrengen van de kopjes.

Opa trakteert zichzelf op een sigaartje en laat de rook in kringetjes zijn mond verlaten.

De bakker belt aan en even later de melkboer. Simone mag opendoen. Op verzoek brengt de bakker heerlijke krentenbroodjes en de melkboer chocoladevla voor na de warme maaltijd.

Simone mag betalen. Dat doet ze graag. Ze vindt het heerlijk om met geld om te gaan. Precies het bedrag uittellen dat betaald moet worden.

Even later wordt de tafel gedekt. Heerlijke broodjes sieren de broodtafel.

20

Misschien komt het door de bos- of zeelucht, maar Simone eet zoals ze nog nooit gegeten heeft...

HOOFDSTUK 3

Op de fiets naar zee

Oma's fiets is ruim drie weken niet gebruikt. Op het zadel ligt wat stof. Op de velgen van het wiel en de pedalen zit nog een dikke laag vaseline om het roesten tegen te gaan.

„Even proefzitten, Simoon," vraagt opa als hij met een doek het ergste stof van de fiets heeft verwijderd.

Opa Brandsen houdt de bagagedrager vast en Simone klimt op het zadel.

Voor Simone staat het zadel natuurlijk veel te hoog. Met zo'n hoog zadel kan ze nooit bij de trappers komen.

Na veel passen en meten weet opa hoeveel centimeter het zadel moet zakken.

Toch zeker wel een centimeter of twaalf.

Opa haalt uit de grote gereedschapskist een sleutel, waarmee hij de moer losdraait. Door het zadel zachtjes heen en weer te halen en er stevig op te drukken, ziet Simone het zakken.

Met een wit krijtje heeft opa aangegeven tot hoever het

zadel moet zakken. Als het streepje is bereikt, stopt hij en draait de moer weer aan.

,,Wat mij betreft, kun je je paardje van stal halen," zegt hij lachend tegen zijn kleindochter.

Het schuurtje achter het huis van opa en oma is klein. Veel kleiner dan bij Simone thuis.

Simone moet het stuur alle kanten ophouden om zonder krassen en schrammen de fiets uit het schuurtje te halen.

Even later rijdt opa zijn fiets naar buiten.

In de grote fietstas achter op de fiets van opa stopt oma een tasje met wat versnaperingen: appels, sinaasappels en voor elk een banaan.

De fietstocht kan beginnen.

Oma spreekt een laatste keer met opa af hoe laat ze hen terug verwacht.

,,Ik zal zorgen dat om vier uur de koffie klaar staat," belooft ze.

Oma zwaait even later haar man en kleindochter na. Nu ze die twee er op de fiets vandoor ziet gaan, heeft ze ook wel weer zin om een fietstochtje te maken. Maar dat kan altijd nog. De komende zomer is daar alle tijd voor.

Algauw is het einde van het dorp bereikt. Simone kan vanaf de fiets de blauwe zee zien. Wat heerlijk lijkt het haar om daar van de zomer weer te kunnen zwemmen.

,,Zullen we afspreken dat we op de terugweg even op het strand gaan kijken?" vraagt opa aan Simone.

,,Misschien dat we eerst even op het strand kunnen kijken, opa. Ik heb al zo lang de zeelucht niet geproefd."

,,Je hebt zeker reuze trek in zeelucht?" vraagt opa.

Simone knikt.

,,Ik heb eigenlijk ook best trek in een banaan," antwoordt ze heel eerlijk.

,,Dan weet ik het goed gemaakt. Twee kilometer verderop is een zijweggetje dat naar het strand gaat. Daar komen nooit zoveel mensen. Het strand wordt het Stille Strand genoemd. Er zal vast wel een plank en paal zijn aangespoeld. Daar kunnen we lekker rustig ons banaantje opeten," stelt opa voor.

,,Waarom wordt het Stille Strand genoemd, opa? Is het werkelijk zo dat het er heel stil is?"

Opa en zijn kleindochter praten al fietsend door. Ze komen niemand tegen. Soms schiet een konijntje het fietspad over, maar dat is dan ook het enige levende wezentje dat ze zien.

,,Het wordt door de mensen in het dorp Stille Strand genoemd, omdat er nooit zoveel mensen komen. In de eerste plaats ligt het te ver van het dorp af om er even een wandelingetje te maken. Maar in de tweede plaats is het strand daar veel smaller dan bij de boulevard. Nu hier een fietspad is aangelegd, is dit stuk strand veel gemakkelijker te bereiken dan vroeger. Maar vroeger was hier geen fietspad. Toen kon men het alleen via het strand bereiken."

,,Waarom alleen via het strand?" wil Simone weten.

,,Omdat niemand eraan begon om door de duinen zo'n eind te lopen. Natuurlijk werd dat zondags weleens gedaan, maar door de week kwamen de mensen niet in de duinen. Door de week werkte iedereen."

Ze fietsen samen verder.

,,Omdat het strand daar veel smaller is, blijft er bij vloed

24

ook weinig van over. Dan komt de zee vaak tot aan de duinen. En dat vonden de meeste mensen heel gevaarlijk. Ze bleven dan altijd van het Stille Strand weg, omdat ze het toch wel een beetje eng vonden..."

Opa vertelt verder.

,,Daar kwam nog bij dat de mensen in het dorp beweerden dat op het Stille Strand nooit iets viel te halen. Overal spoelde natuurlijk wel iets aan, wat de dorpelingen goed konden gebruiken. Soms waren het balken, palen of planken. De mannen maakten hier schuurtjes van of verbouwden er hun huis van. Heel vroeger werden de huisjes bijna altijd in april verbouwd. En dat gebeurde van hout dat aan het strand was aangespoeld. Meestal tijdens zware februaristormen. Maar op het Stille Strand werd er bijna nooit iets gevonden. Tenminste weinig dat de mensen konden gebruiken. Vandaar die naam..."

,,Mochten de mensen het gevonden hout niet houden?" wil Simone weten.

,,Nee, natuurlijk niet. Hout dat op het strand wordt gevonden, moet bij de strandvoogd gemeld worden. En die bepaalt wat ermee gaat gebeuren," legt opa uit.

Al pratende bereiken ze de weg, die uiteindelijk bij het Stille Strand uitkomt.

Opa neemt met een sierlijke draai de bocht; Simone doet het rustiger aan. Ze heeft de fiets van een ander, waarmee ze veel voorzichtiger moet zijn.

De laatste hoge duinen, vlak bij het strand, komen in zicht.

Ze fietsen nu pal tegen de wind in.

Opa heeft daar helemaal geen moeite mee.

Simone wipt op het zadel. Als ze stevig op het linkerpedaal trapt, gaat haar lichaam ook naar links en als ze op het rechterpedaal trapt, maakt ze een kleine beweging naar rechts.

Aan het einde van de weg worden de fietsen in het zand gelegd. De laatste honderd meter leggen ze lopend af.

Boven op het duin aangekomen, kijkt Simone om naar opa. Ze wil weten of hij haar bijhoudt. Maar opa is nog helemaal niet vermoeid.

,,Als we moeten uitrusten, zeg je het maar!'' roept hij Simone toe, tegen de wind in.

,,Ik zal al vast een mooie balk uitzoeken. Kijk opa, daar ligt er een. Zullen we daar naar toe gaan?''

Opa knikt. Roepen heeft nu geen zin meer, want Simone kan haar grootvader door de wind niet horen. De wind is hard en scherp. En zout, zo voelt Simone aan haar lippen. Dol van vreugde rent Simone over het strand. Ze zwaait naar opa, die het wat rustiger aandoet. Opa zwaait terug. Hij heeft er plezier in dat zijn kleindochter zo geniet. Op weg naar het water houdt Simone ineens stil. Opa ziet haar van verre in het zand vallen. Eerst denkt hij dat Simone zich pijn heeft gedaan, maar algauw bemerkt hij dat ze iets heeft gevonden. Ze neemt het kleine voorwerp in haar hand op en rent naar opa terug.

,,U zei toch dat er vroeger bijna nooit iets op het Stille Strand werd gevonden?''

Opa knikt.

De harde zeewind brengt Simones woorden tot vlak bij opa. Andersom is dat veel moeilijker en vandaar dat hij maar knikt.

Vol spanning wacht Simone af wat opa van het gevonden horloge zal zeggen. (blz. 28)

„Een horloge . . ."

„Een polshorloge . . ."

Opa neemt het gouden horloge van Simone over. Hij blaast de laatste zandkorreltjes weg, wrijft zacht met de mouw van zijn jas over het glas en het kleine klokje is weer als nieuw.

Vol spanning wacht Simone af wat opa van het gevonden horloge zal zeggen.

Opa draait het horloge om en bemerkt dan dat in de binnenzijde van de horlogeband twee letters zijn gegraveerd.

JG staat er.

„Je lijkt wel op een goudzoeker, Simoon. Zoek eens verder, misschien vind je nog meer," lacht hij.

„Maar dit is vast verloren," denkt Simone. „Iemand die een strandwandeling heeft gemaakt is het natuurlijk kwijtgeraakt. Wat jammer voor die meneer of mevrouw."

„Een mevrouw zal het niet zijn, Simoon. Het is een echt herenhorloge. En het is nog gloednieuw als je het mij vraagt."

„Zullen we het naar de politie brengen? De politie weet vast wel van wie het is," zegt Simone.

„Natuurlijk gaan we er mee naar de politie. Het bureau heeft een afdeling gevonden voorwerpen. Daar komt alles terecht wat is gevonden."

Opa bekijkt het herenhorloge een laatste keer van alle kanten. Hij pakt zijn zakdoek en rolt het er heel voorzichtig in.

„Iemand moet het vandaag verloren zijn. Kijk, Simoon, het wijst de juiste tijd nog aan: tien minuten over twee." Voordat opa het horloge in zijn broekzak wil wegstoppen, bekijkt hij het nog een laatste keer.

,,JG ... Dat moet Jacob Gelder van de kruideniers-winkel zijn. Ik ken geen andere familie in het dorp waar-van de achternaam met een G begint ..."

,,Kent u die meneer?"

,,Waarachtig, dat is Jacob. Hem help ik altijd met boodschappen rondbrengen. Natuurlijk moet dit klokje van Jacob zijn. Vorige week is hij jarig geweest. Toen werd hij drieënzestig jaar ..."

,,Ach, wat jammer nou. Nu zit die meneer thuis na-tuurlijk aan zijn mooie horloge te denken. Zullen we snel naar hem toegaan, opa? Dan fietsen we morgen wel ver-der ..."

HOOFDSTUK 4

Simone mag in de winkel helpen

Simone en haar opa staan een halfuurtje later voor het knusse kruidenierswinkeltje in het dorp. Het winkeltje is al die veertig jaar niet veranderd. Het staat midden in het dorp en wordt vooral de laatste jaren weer steeds meer bezocht.

Het zonnescherm, aan de binnenzijde van de etalage, is naar beneden gelaten.

Op de winkeldeur is een bordje geplaatst.

Samen lezen ze die enkele woorden die op het bordje staan: Gesloten i.v.m. ziekte.

,,Wat akelig nu toch. Een van beiden heeft het zeker te pakken gekregen,'' zegt opa tegen Simone.

,,Zijn ze al oud?'' wil Simone weten.

,,Nee, echt oud zijn ze nog niet.''

Opa gaat Simone voor naar het pad dat naast de winkelruimte ligt. Het voorste gedeelte van het huis is winkel, het achterste gedeelte woonhuis.

,,Laat mij eerst maar gaan, Simoon. Ik wil niet hebben

dat we nu zomaar binnenvallen bij een zieke man of vrouw," zegt opa.

Simone blijft stilletjes achter. Ze kijkt wat om zich heen om de tijd te doden. Even later komt opa terug met mevrouw Gelder.

„Kom maar, hoor, meisje. Er is niets aan de hand. Mijn man voelt zich alleen niet zo lekker. Dat is eigenlijk alles," roept ze Simone toe.

Simone huppelt op de deur af die in het achterste gedeelte van het huis zit, maar toch voordeur wordt genoemd.

„Dag, ik ben mevrouw Gelder. En wie ben jij?" vraagt mevrouw Gelder vriendelijk.

„Ik ben Simone," zegt ze lachend.

„Het is mijn allerliefste kleindochter," voegt opa er aan toe.

„Dat vind ik niet leuk van je Brandsen. Je mag het ene kleinkind nooit voor het andere trekken. Dat doe ik ook niet. En dat terwijl ik de een ook veel liever vind dan de ander," zegt mevrouw Gelder quasi boos.

„En toch is en blijft het mijn allerliefste kleindochter," gaat opa verder.

Simone heeft plezier om opa's woorden. Ze weet ook best waarom.

„Brandsen, Brandsen. . . " moppert mevrouw Gelder. „Laat Jacob dat niet horen. Die is net zoals ik. Een kleinkind is een kleinkind en daarmee uit . . ."

„Maar . . ." gaat opa verder, „als het nu mijn enige kleindochter is?"

„Dan nog kun je het niet maken voor die andere

kleindochters," houdt mevrouw Gelder vol.

„Maar ik heb geen andere kleindochters!"

Dan blijft mevrouw Gelder staan.

Ze kijkt Simone aan, die er glunderend bij komt staan.

„O zit dat zo. Nou ja, goed dan. Als je geen andere kleindochters meer hebt, dan kun je dat wel zeggen, ja. Maar het kwam zo hard over, alsof die andere kleindochters niet zo lief zijn als dit meisje . . ."

Opa knipoogt naar Simone. „Maar laten we even bij Jacob kijken. Een ziekenbezoekje is nooit weg, wat jij, Simoon?"

„Is uw man erg ziek?" wil Simone weten.

„Hij is in jaren niet zo ziek geweest. Een zware kou denk ik, maar wat wil je ook. Gisteren is hij alleen op de fiets weg geweest. Zonder regenjas aan en zonder sjaal om. Dat kan niet meer bij mensen van Jacobs leeftijd."

„Maar hoe oud ben jij, Greta?"

Mevrouw Gelder kijkt op. Tja, dat was ze haast vergeten. Ze is net als haar man 63 jaar.

„Dan moet jij ook niet zonder jas naar buiten gaan. Morgen lig je naast hem in bed te hoesten," zegt opa Brandsen.

Mevrouw Gelder gaat opa en Simone voor naar het slaapkamertje, waar de kruidenier van het dorp onder de dekens ligt.

„Wat moet ik nu weer van je horen, Jacob? Zonder jas naar buiten geweest? Dat kan toch niet," zegt opa Brandsen met een lach om de mond.

„Ik was vergeten mijn jas mee te nemen. Nu wordt me de rekening gepresenteerd," antwoordt meneer Gelder

32

met schorre stem.

„En waarom hebben jullie de winkel gesloten? De zaak moet toch draaiende blijven. Je kunt je klanten toch niet teleurstellen?"

„Waar haal ik zo snel personeel vandaan? Er moeten minstens twee mensen in de winkel werken. Mijn vrouw kan in haar eentje ook niet alles aan."

„Maar je had mij toch kunnen bellen?"

„Jij? Jij had een vrije middag. Jouw kleindochter zou komen logeren en daar hebben wij rekening mee te houden," zegt meneer Gelder.

„En wat hebben we er aan als de zaak maar half draait. Of we doen het goed of we doen het niet, zeggen we altijd tegen elkaar. Half werk afleveren doen we niet," vindt mevrouw Gelder.

„Maar ik ben er toch," houdt opa Brandsen vol.

„We kunnen van een man die van zijn pensioen geniet toch niet vragen de voorraad in onze winkel bij te vullen en daarnaast nog boodschappen weg te brengen!"

„Maar waarom niet? Ik ben nog vitaal genoeg om het te doen. Wat jij, Simoon?"

„Opa is nog erg fit. Hij fietst harder en beter dan ik," geeft ze toe.

„Daar komt niets van in," beslist mevrouw Gelder.

Dan valt er een plotselinge stilte.

Meneer Gelder veegt met een zakdoek het zweet van het voorhoofd, snuit goed zijn neus en hoest heel diep. De stilte wordt verstoord door de deurbel van het woonhuis.

„Een mens kan niet eens een keertje ziek zijn. Het sluiten van een winkel is er niet meer bij, want dan komen

33

ze toch allemaal achterom. Maar ik stuur ze allemaal weg ... Ze komen maar terug als Jacob weer beter en de winkel weer geopend is,'' moppert mevrouw Gelder. Beneden horen de drie dat mevrouw Gelder de klant toch tevreden wil stellen. Ze gaat naar de winkel toe en komt even later met twee zakken suiker terug.

,,Betalen komt later wel. Ik schrijf het wel op. We doen het nog één keer op de pof,'' horen ze haar zeggen.

Als ze weer terug in de slaapkamer is, neemt ze het besluit dat haar man weer alleen moet worden gelaten. ,,De winkel is dicht en blijft dicht. Om de doodeenvoudige reden dat we geen tijdelijk personeel kunnen krijgen. En met personeel bedoel ik geen mannen van boven de vijfenzestig,'' lacht ze, terwijl ze naar opa kijkt.

Simone, die al die tijd haar mond heeft gehouden, weet een oplossing.

,,Maar ik ben er toch nog. Ik doe niets liever dan in een winkel helpen,'' zegt ze eerlijk. ,,Het lijkt me prachtig om mensen te helpen en de voorraad aan te vullen,'' en haar gezicht straalt van vrolijkheid.

Ze ziet zich al staan in het knusse, kleine kruideniers-winkeltje, waar nog veel spullen uit grootmoeders tijd worden gebruikt. ,,Ik kan best de voorraad aanvullen,'' zegt ze vrolijk. ,,En als ik het niet weet, vraag ik het aan u. Opa kan dan best de spullen wegbrengen. Ik vervang meneer Gelder in de winkel ...''

Opa kijkt mevrouw Gelder aan. Simone kijkt de zieke meneer Gelder aan.

,,Maar dat is een prachtig idee,'' gaat opa verder.

,,Dat wil ik niet, dat wil ik niet,'' moppert mevrouw

34

Gelder. „Je had je toch juist zo verheugd op de logeerpartij van je kleindochter?"

„Dat had ik ook. Maar als Simone zich hier op verheugt, zijn alle partijen toch tevreden?"

„Mag het van u, mevrouw? Ik wil direct beginnen. Ik heb een gemakkelijke lange broek en een shirt bij me. Dat trek ik dan aan. Of heeft u altijd speciale kleren aan in de winkel?"

Mevrouw Gelder wacht even met een antwoord. „En wat zouden jouw vader en moeder daar van vinden? En oma Brandsen, want die blijft weer moederziel alleen in haar huisje achter."

„Dat wil ze zelf. Ze doet niets liever dan wat zitten haken en breien en als afwisseling een boek lezen. Als oma in haar stoel bij het raam zit, is ze op haar best," zegt opa Brandsen lachend.

„Nou, als het van iedereen mag, heb ik er geen bezwaar tegen. En wat vind jij ervan, Jacob?"

„Ik vind het best. Dat is tenminste beter dan een gesloten winkel," zegt meneer Gelder.

En weer gaat de deurbel van de woning. En weer gaat mevrouw Gelder naar beneden. En weer helpt ze een klant.

„Als jullie het goed vinden, is het een prachtig idee," bekent Jacob Gelder.

„Dan doen we het gewoon. We beginnen direct. Afgesproken, Simoon?"

Simone vindt dit het einde. Ze verheugt zich erop winkeljuffrouw te zijn. Ze zou het willen uitzingen van plezier, maar dat kan natuurlijk niet bij een zieke.

Ze zoekt mevrouw Gelder op, die beneden alweer een andere klant helpt en die tevens belangstellend komt informeren hoe het met haar man gaat.

Als opa Brandsen de kamer van de zieke wil verlaten, neemt Jacob Gelder opa even in vertrouwen. ,,Ik moet je iets zeggen: ik ben gisteren mijn dure gouden wekkertje kwijt geraakt. Dat had ik pas gehad voor mijn 63ste verjaardag. Ik vind het verschrikkelijk. Greta weet er nog niets van. Ik durf het haar niet te zeggen, maar ..."

,,Is dit hem soms?"

Meneer Gelder gaat nu rechtop in bed zitten als opa Brandsen zijn zakdoek uitrolt en het gouden polshorloge te voorschijn komt.

Ineens staat het gezicht van Jacob Gelder weer vrolijk. ,,Jullie zijn in alles redders in de nood ..."

HOOFDSTUK 5

Ontbijt op bed voor opa

Om zes uur de volgende ochtend is iedereen al wakker. Oma houdt van vroeg opstaan en vroeg naar bed gaan. En als oma uit bed stapt, gaat opa er meestal ook uit.

Simone hoort het gestommel in het slaapkamertje van haar grootouders.

Met een ruk slaat ze de dekens van zich af en wipt uit bed. Ze doet de gordijnen open. ,,Wat een prachtig weer vandaag. Lekker weer om in de winkel te staan,'' en ze verheugt zich erop zo snel mogelijk naar de kruideniers-winkel van de familie Gelder te mogen.

De winkel bleef gisteren dicht, maar hij is vandaag weer voor iedereen open.

Simone trekt haar nachtjaponnetje uit en gaat zich lekker wassen. Heerlijk verfrissend dat koude water over je lichaam. Ze vouwt de nachtjapon op, maakt het bed op en zorgt ervoor dat het slaapkamertje er keurig uitziet.

Oma mag er niets aan doen, heeft ze met mams afge-sproken.

Als de haren zijn gekamd, verlaat Simone de slaapkamer. Op de overloop komt ze oma tegen, die al keurig in de kleren steekt.

„Wat ben je vroeg, Simoon. Je hebt toch vakantie? En in de vakantie hoor je lekker uit te slapen," begroet ze Simone.

Simone geeft oma een kus. „Ik houd niet van uitslapen. Ik slaap het liefst zo kort mogelijk, om zo lang mogelijk van de dag te genieten," zegt ze gemeend.

„Kom, dan gaan we naar beneden. Maken we voor opa een beschuitje en een broodje klaar. Hij vindt het heerlijk om verwend te worden. Ja, soms krijg ik van hem brood en thee op bed. Maar meestal is het andersom."

Beneden in de keuken worden sinaasappelen uitgeperst en thee gezet. Simone mag een eitje koken en brood snijden.

Ze houdt van heerlijke dunne sneetjes bruinbrood.

„Waar houdt opa van?" vraagt ze aan oma.

„Van alles. Maar het liefst heeft hij 's morgens een plakje kaas op zijn brood," antwoordt oma.

Simone pakt de kaas en kaasschaaf en snijdt een lange plak af.

Ondertussen begint het water voor de eieren te koken en de fluitketel stoom af te blazen. Simone komt handen te kort.

Heel voorzichtig laat ze drie eieren in het steelpannetje zakken. Het eierwekkertje zet ze op drie minuten. Dan pakt ze de fluitketel en giet het water in de theepot, die al is voorzien van een zakje thee.

In de keuken wordt de tafel gedekt. Voor oma en

Simone ieder een bordje, een kopje en een glas voor de sinaasappelsap.

Voor opa wordt het grote dienblad gepakt. De boterhammen en het beschuitje zijn gesmeerd, nu alleen nog de thee, het sap en het eitje.

,,Wat een verrassing zal hij dat vinden als hij door zijn kleindochter zo wordt verwend . . ." lacht oma.

,,Houdt opa daarvan?"

,,Waarvan?"

,,Om verwend te worden?"

,,Natuurlijk houdt hij daar van. Alle mannen vinden het toch leuk om verwend te worden. Trouwens, ik vind het op zijn tijd ook best leuk, hoor. Maar ik kan nooit zo lang op bed blijven, Simoon. Als ik wakker ben, moet ik eruit."

,,Dan verwen ik u morgenochtend, oma. Dan moet u natuurlijk wel blijven liggen, want anders is het niet leuk," vindt Simone.

,,En dan trakteer ik overmorgen, Simoon? Afgesproken?" Simone knikt en gaat naar het gasstel, want de drie minuten kooktijd voor de eieren zijn om.

Het hete water laat ze in de gootsteen weglopen en met koud water spoelt ze de eieren af.

Tenslotte worden de eieren keurig in eierdopjes gedaan. Het ei voor opa wordt bij het bordje en kopje op het dienblad gezet.

,,Doe je wel voorzichtig op de trap, Simoon? Of zal ik je even helpen?"

Simone wijst de hulp van de hand. Thuis doet ze het ook vaak. Meestal op zondagochtend, want dan zijn paps en mams altijd vrij.

Heel voorzichtig zoekt Simone de eerste trede van de trap. Plaatst daar haar voet op en zoekt dan met de andere voet de tweede trede van de trap.

Zo komt ze uiteindelijk boven.

Heel netjes klopt ze op de slaapkamerdeur. Ze voelt zich nu net een meisje dat in een hotel helpt en het ontbijt van de gasten op bed moet serveren.

,,Ja, ja, ja . . .'' schrikt opa wakker. ,,Wat is er aan de hand? Wie is daar . . .?'' zegt hij nog half slapend.

,,Ik ben het: Simone. Opa, hier is uw ontbijt op bed. Oma en ik verwennen u vanochtend, omdat u vandaag heel hard moet werken,'' begint ze.

,,Wat vervelend nu toch. Ik was klaar wakker, maar nadat oma naar beneden is gegaan, ben ik weer in slaap gedommeld,'' moppert opa.

,,Hoe laat moeten we er zijn?''

,,De winkel gaat om negen uur open. Maar misschien kunnen we voor die tijd nog een fietstochtje maken. Even langs de camping of zo?''

,,Dat is een goed idee, opa. Even een frisse neus halen, voordat we hard aan de slag gaan.''

Opa gaat rechtop in bed zitten om aan zijn ontbijt te beginnen. ,,Dat ziet er heerlijk uit. En ik heb een reuze honger gekregen van al dat geslaap,'' zegt hij lachend. ,,Bedankt, kleindochter van me. Bedankt, hoor . . .'' en Simone gaat weer naar beneden om samen met oma te ontbijten.

Het eitje en de sinaasappelsap smaken heerlijk. Maar ook de bruine boterham met hagelslag gaat er goed in.

Simone kan heerlijk eten, dat ziet oma wel.

En ze eet al zo netjes, valt haar op.

Het fietstochtje naar de camping heeft een speciale bedoeling. Anders fietst opa er op zijn gemak heen, maar nu wil hij de bestellingen van die enkele gasten vóór negen uur opnemen, want dan kan hij voor de rest van de dag in de winkel blijven, als dat nodig is. Greta Gelder kan dan bij haar zieke man blijven.

Als ook opa is aangekleed, stappen hij en Simone op de fiets.

Opa vertelt oma wat de bedoeling is van het korte tochtje op de fiets.

Maar dat had oma allang al begrepen. ,,Ik zie jullie vanavond terug, want dan gaan we heerlijk eten. Ik heb drie biefstukjes gekocht." Likkebaardend stapt opa op de fiets.

,,Meid, meid . . . Wat worden we door jouw oma toch verwend. Ik wou dat je hier iedere dag was, dan hadden we ook iedere dag een feestmaal," lacht opa.

,,Dat is helemaal niet goed voor je. Oudere mensen mogen niet zoveel eten, opa Brandsen. Hoor je dat?" zegt oma lachend.

Opa kijkt Simone aan.

,,Maar ik vind het wel lekker," moet hij eerlijk bekennen.

Oma zwaait de twee uit.

De fietstocht gaat opnieuw langs de buitenkant van het dorp.

Het is nu prachtig weer.

Opa is twee dagen geleden voor het laatst op de camping geweest voor bestellingen. Er is geen kampwinkel, dus alle levensmiddelen moeten bij de kruidenier in het dorp worden gekocht. Maar omdat meneer en mevrouw Gelder vinden dat alle gasten van de camping niet naar het dorp hoeven te komen, neemt opa Brandsen de bestellingen van de gasten op en komt deze dan 's middags brengen.

Daarvoor heeft opa een oude bakkerskar op de kop getikt. Een fietskar op drie wielen. Deze wordt ook wel bakfiets genoemd. In de bak zet hij dan alle doosjes neer. En op de doosjes komen de namen van de klanten te staan. Drie keer in de week bezoekt opa de camping. De andere keren neemt opa Brandsen de bestellingen in het dorp op.

Het is maar tien minuten fietsen naar de camping, waar op dit moment nog maar weinig tenten staan, maar waar wel al een heleboel caravans en sta-caravans staan.

,,Tjonge, jonge ...''

,,Wat is er, opa?'' vraagt Simone.

,,Er zijn sinds eergisteren wel twintig caravans bij gekomen. Het is niet te hopen dat die mensen nu allemaal bestellingen hebben. Dat kan mijn oude bakkerskar nooit dragen ...''

Eenmaal op de camping komen de eerste gasten op opa en Simone af.

,,Dag, meneer Brandsen,'' begroeten ze opa vrolijk. ,,Heeft u hulp gekregen?''

,,Ja, dit is mijn kleindochter,'' zegt opa trots.

,,Nou, dat is maar goed ook, want ik heb voor u een hele waslijst boodschappen.''

Opa kijkt het eerste boodschappenlijstje door.

Simone telt het aantal artikelen dat is besteld. Ze komt tot vijfendertig.

,,Simoon, houd jij dat briefje maar bij je, Dat is je eerste klus vanochtend. Jij moet ervoor zorgen dat alle boodschappen van dat lijstje in een doosje terecht komen . . .''

Maar het blijft niet bij dat ene boodschappenlijstje. Al heel gauw gaat het rond dat opa Brandsen er is. Wel vroeger dan gewoonlijk, maar hij is er. En dus kunnen de boodschappen weer besteld worden.

HOOFDSTUK 6

De eerste dag in de winkel

Het kruidenierswinkeltje van de familie Gelder is er nog een waar er heel vroeger wel vijf of zes in een dorp van waren.

Het is niet groot. Links van de winkeldeur staat de toonbank, waar mevrouw Gelder altijd achter staat.

Op de toonbank ligt een grote glasplaat, waaronder allerlei lekkere snoeperijen liggen uitgestald.

Het is een soort vitrine, een mini-etalage, waar zuurstokken, zwart-op-wit dropjes, zoute lappen en toverballen in doosjes liggen.

Links op de toonbank staat nog de ouderwetse weegschaal met gewichten. En rechts van de toonbank een minder oude weegschaal, die met de wijzer kan aangeven hoe zwaar iets weegt.

De gehele achterwand is voorzien van laadjes, waarop de namen staan van de artikelen die heel vroeger los verkrijgbaar waren.

Zoals thee, waarvan de mensen vroeger één onsje konden kopen, suiker, zout en diverse soorten kruiden. Nu kan men deze spulletjes niet meer los kopen. Alles is in de fabriek al verpakt.

Als sier staan grote blikken trommels hier en daar verspreid.

De namen van grote koffie- en theefabrikanten staan crop.

Tegen een andere wand staan op een plank grote glazen stopflessen met glazen deksels, waarin zuurtjes en andere snoepjes zitten.

Het pronkstuk van het winkeltje is de oude koffiemolen, waarmee men in vroeger jaren met de hand koffiebonen kon malen.

Nu kunnen de klanten gemalen koffie in pakken kopen. Het is er allemaal veel gemakkelijker op geworden.

Simone kijkt haar ogen uit als ze met opa in het winkeltje staat. ,,Wat prachtig allemaal!'' roept ze verbaasd. ,,Wat heeft u nog een prachtige spulletjes!''

,,Allemaal antiek, Simone. Mijn moeder en haar moeder hebben hun leven lang in dit winkeltje gewerkt. Kijk, als we er niet zoveel aardigheid in hadden, hadden we het winkeltje allang van de hand gedaan. Maar omdat we er zelf zoveel plezier aan beleven, werken we hier nog steeds met veel genoegen,'' vertelt mevrouw Gelder. ,,Jouw vader kwam hier al toen hij vijf jaar was. Boodschappen doen voor zijn moeder,'' zegt ze tegen Simone. ,,Als je trek in een dropje hebt, mag je er een pakken. Maar niet te veel natuurlijk. Dat is slecht voor je gebit,'' zegt de kruideniersvrouw.

Als de winkelklok negen uur slaat wordt de winkeldeur

van het slot gedaan.

„Iedereen is weer welkom," roept mevrouw Gelder vrolijk.

De taken worden verdeeld. Mevrouw Gelder gaat in de winkel staan, Simone zal voorlopig de rekken met artikelen bijvullen en als ze daarmee klaar is, moet ze opa helpen met de bestellingen.

Ze zijn met vierentwintig briefjes van de camping teruggekomen, dus opa weet voorlopig wel wat hij moet doen.

„Lukt het Brandsen?" roept mevrouw Gelder uit de winkel.

„Ik ben aan mijn eerste bestelling bezig. Ik hoop dat ik vandaag klaar kom. Anders morgen maar de rest," antwoordt hij. „Als ik de gasten van de camping mag geloven, komen er vandaag en morgen nog veel meer mensen. Vanwege het mooie weer natuurlijk."

„Betekent dat, dat die mensen die er vandaag en morgen bij komen allemaal nog boodschappen gaan bestellen?" vraagt Simone.

„Als het even tegenzit wel. Maar we doen het rustig aan hoor. We gaan niet te hard van start, want de dag duurt nog lang."

Mevrouw Gelder wijst Simone de voorraadkamer. Wel duizend pakken, dozen, zakjes, flessen en bekers staan op grote stellages opgesteld. Als je het eenmaal weet, is er niets aan, meent Simone.

De plaats waar de pakken koffie staan, kan Simone eerst niet vinden, maar na even zoeken, vindt ze deze toch.

In de winkel staan nog maar vijf pakken koffie. De winkelvoorraad moet dus snel worden aangevuld.

De klanten die binnenkomen, vragen mevrouw Gelder eerst hoe het met haar man gaat. Dan wordt er even vlug een babbeltje gemaakt over het weer, dat zo echt zomers begint te worden en tenslotte is het tijd voor de boodschappen.

Algauw stapt een tweede en derde klant binnen. Er worden nieuwe bestellingen voor morgen en overmorgen afgegeven. Kinderen komen een pakje kauwgum kopen en een boze mevrouw wil een potje bedorven jam voor een ander omruilen.

Als er op een zeker moment zeven mensen in de winkel staan, roept mevrouw Gelder Simone te hulp.

,,Simoon, wil jij die kinderen daar even helpen. De prijzen staan hier. Contant betalen. Snoep schrijven we niet op," legt ze Simone uit.

Simone weet niet wat haar overkomt. Zo staat ze in de donkere, sombere voorraadkamer en nu staat ze in de winkel om mensen te helpen.

,,Zeg het maar, wat wil je?" vraagt ze heel beleefd aan een jongetje.

,,Twee zoute lappen," antwoordt hij.

Eerst kijkt Simone even vreemd, want van zoute lappen heeft ze niet eerder gehoord. Maar algauw heeft ze in de gaten dat het jongetje zoute drop bedoelt.

Terwijl ze de zoute droppen uit de vitrine wegneemt, kijkt ze tevens op het papier waar de prijzen staan geschreven. ,,Dat is twintig cent," zegt ze.

Het jongetje legt een kwartje op de toonbank.

„Mag ik ook . . ." vraagt ze haperend.

„Natuurlijk mag dat. Vijf cent terug . . ." zegt mevrouw Gelder, terwijl ze alweer de volgende klant helpt.

De kinderen die om drop en kauwgum komen, mag Simone ook helpen. Heerlijk vindt ze het om geld te ontvangen en als het nodig is nog wat geld terug te geven. „En wat mag het zijn?" gaat ze vrolijk verder. Een meisje komt met een boodschappenlijstje van haar moeder.

Omdat Simone zojuist heel wat voorraadvakken heeft gevuld, weet ze al een klein beetje waar alles staat. Twee pakken koffie, een pak suiker, een pakje sigaretten, een klein flesje vla en een doos lucifers. In een mum van tijd staat alles op de toonbank.

Nu roept ze mevrouw Gelder om hulp want het bedrag van deze artikelen kan ze nooit uit haar hoofd optellen. En Simone weet niet hoe de kassa werkt.

Mevrouw Gelder ziet er niet tegen op. Ze heeft haar hele leven niets anders gedaan dan vlug alles bij elkaar optellen.

„Vijftien gulden en vijfentwintig cent," zegt ze tegen Simone.

Het meisje betaalt met vijfentwintig gulden.

„Het bedrag dat ze moet betalen, aftrekken van vijfentwintig," rekent mevrouw Gelder uit.

Het kost Simone heel wat moeite, maar uiteindelijk komt de aftreksom op negen gulden en vijfenzeventig centen uit.

„Keurig, Simone. Dus dat bedrag teruggeven . . ."

En zo gaat het de hele ochtend door. Simone komt amper toe aan het bijvullen van de winkelvoorraad.

En als het zo doorgaat, zal de voorraad in de voorraadkamer ook bijgevuld moeten worden, want opa Brandsen
stopt zo langzamerhand ook heel wat weg in alle dozen
die klaar staan.

Als er even niemand in het winkeltje is, holt Simone
naar achter.

,,Hoe gaat het, opa, ik vind het hier reuze leuk. Morgen
wil ik weer helpen. Mag dat?''

,,Van mij wel. Het zal er wel naar uitzien dat we hier de
hele week niet meer wegkomen. De bestellingen blijven
doorgaan. Ik kreeg zojuist nog zeven nieuwe bestellingen
door van de camping. Ze vroegen of dat vanmiddag nog
gebracht kan worden.''

,,Zo vroeg al?''

,,We kunnen de klanten moeilijk teleurstellen, Simone.
Wat zij vragen, horen wij te doen.''

Af en toe holt mevrouw Gelder naar boven om te
informeren hoe het met haar man is. Ze hoeft de eerste
dagen niet op hem te rekenen. Hij gaat vooruit, maar is
nog lang de oude niet.

Als mevrouw Gelder beneden komt en de volgepropte
dozen vol artikelen klaar ziet staan, brengt ze van schrik
de handen naar haar hoofd.

,,Wel als je me nou, zeg. Moet dat allemaal weg?''

Opa knikt. ,,Dan fietsen we met de bakfiets wel acht in
plaats van drie keer, zoals anders in de week.''

,,Maar lukt dat allemaal?''

,,Dat zal wel moeten. Maar ik ben er nog niet. Hier
liggen nog de nodige bestellingen. Dat wordt overwerken
vanavond . . .'' lacht hij.

Simone kijkt het allemaal eens aan. Hier moeten meer mensen helpen, denkt ze. Deze oudere mensen kunnen het nooit alleen af. . .

HOOFDSTUK 7

Er is veel werk te doen!

Moe maar voldaan komen opa en Simone 's avonds thuis.

Opa ploft in de stoel, waarin oma anders altijd zit. Simone gaat direct naar boven om zich wat op te frissen.

Oma weet eerst niet goed wat ze met deze twee vermoeide mensen aanmoet. Ze gaat maar snel naar de keuken om het eten op te zetten.

De harde werkers zullen wel erge honger hebben, denkt ze.

Als oma in de kamer is teruggekeerd en ze opa in haar stoel ziet zitten, moet ze lachen. „Nu merk je zelf hoe fijn het is een lekkere stoel bij het raam te hebben," zegt ze. „Hebben jullie een zware werkdag achter de rug?" vraagt ze dan belangstellend.

Opa knikt. Veel zeggen, kan hij niet. Anders is hij na thuiskomst altijd erg spraakzaam tegen oma, maar het lijkt nu wel of hij er geen woord uit kan krijgen.

Simone blijft extra lang boven.

Oma wordt zenuwachtig en gaat de trap op om te zien waarom haar kleindochter zo lang wegblijft.

Als oma het slaapkamertje binnenkomt, ziet ze Simone languit op bed liggen.

,,Wat hebben jullie uitgespookt? Opa zit vermoeid in de stoel en jij ligt van vermoeidheid op bed? Wat hebben jullie in de winkel uitgespookt?''

,,Niets bijzonders, oma,'' bekent Simone. ,,Maar het was wel hard werken, hoor. En opa komt nooit klaar met al die bestellingen. Toen we naar huis wilden gaan, kreeg hij telefonisch nog zes bestellingen van gasten van de camping door. En hij moet de boodschappen voor de mensen in het dorp nog klaarmaken.''

,,En dat vertelt opa mij niet. Ik dacht al zoiets, maar denk maar niet dat hij dat tegen mij zegt. Ik zal het er onder het eten wel over hebben. Reken maar!''

,,Waar is opa nu?''

,,Hij ligt in de stoel. Ik denk dat hij slaapt. Slapen van vermoeidheid. Dat doet hij anders nooit. Altijd komt hij opgewekt thuis.''

,,Mevrouw Gelder heeft hulp nodig, oma. Anders loopt het allemaal in de soep. Opa kan die bestellingen nooit alleen af.''

,,Jij kunt hem daarbij toch helpen?'' vraagt oma.

,,Dat doe ik ook. Maar ik moet er ook voor zorgen dat de voorraad in de winkel op peil blijft. De winkel is niet zo erg groot, dus zoveel kan er niet staan.''

Oma weet het. Ze heeft vorig jaar nog meegeholpen. Maar ze begint er niet meer aan. Ze vindt het werk waar ze zenuwachtig van wordt. Dus dat doet ze niet meer.

„Wie zou ons morgen kunnen helpen?" vraagt Simone.

„Ik zou het niet weten, Simoon. Ik in ieder geval niet. Ik moet voor mijn logé zorgen. Trouwens, als je het niet leuk vindt, moet je het zeggen, Simoon. Je bent hier met vakantie, niet om te werken."

„Ik vind het hartstikke leuk werk, oma. Ik voel me al echt zo'n winkeljuffrouw. Ik heb al mensen mogen helpen. En ik mocht ook geld teruggeven. Zalig vond ik het," bekent Simone.

„Maar wat blijft er nu over van onze plannen? Opa zou je nog meenemen op de fiets naar het vogelreservaat en met z'n drietjes zouden we nog een lange strandwandeling gaan maken."

„Fietsen en wandelen kunnen we altijd nog. Deze mevrouw helpen, is nu veel belangrijker . . ." vindt Simone.

Dat is oma wel met Simone eens, maar naast het werk mag er ook wel aan ontspanning gedacht worden.

„En we hadden nog het plan om je mee te nemen naar Artis in Amsterdam. De dierentuin, weet je wel?"

Simone knikt.

Ze heeft er ontzettend veel zin in, maar wat moet mevrouw Gelder dan met al die mensen die dringend verlegen zitten om boodschappen?

„Als, als . . ." Simone wil iets zeggen, maar durft niet erg. Ze denkt aan thuis. Aan vader, moeder en aan haar vriendinnen.

„Wat wil je zeggen, Simoon?"

„Als ik mijn vriendinnen Jolanda en Annemiek eens vroeg. Die zouden best zin hebben om te komen helpen.

Ze vonden het heel erg dat ik alleen op vakantie ging. Wat vindt u ervan?"

„Die lieve vriendinnen Jolanda en Annemiek? Maar natuurlijk. Ik heb nog wel een tweepersoons bed staan. Daar zouden ze best in kunnen slapen. Maar zullen ze wel mogen van hun moeder? Je moet het hun eerst maar eens vragen. Maar waarom heb je ze niet meteen meegenomen?"

Simone vertelt oma het hele verhaal. Dat mams het niet goed vond dat oma drie giechelende meisjes te logeren zou krijgen, omdat oma al een dagje ouder werd.

„Maar, kind, hoe kan je moeder dat nu zeggen. Opa en ik voelen ons nog zo jong. Daar heb je geen idee van," lacht ze hardop, terwijl ze op het puntje van het bed bij Simone gaat zitten.

„Mag ik ze na het eten bellen?"

„Van mij wel. En ik weet zeker dat opa er ook geen enkel bezwaar tegen heeft. Opa zegt altijd: hoe meer zielen hoe meer vreugd. Maar dan spreken we wel af dat als het werk in de winkel klaar is, jullie allemaal zo snel mogelijk naar huis komen om het gezellig te maken. Afgesproken?"

„Wanneer mogen ze komen?"

„Van mijn part morgenochtend al. Ik moet alleen het bed even in orde te maken. Voor de rest niet. Kijk, stoffen en schoonmaken doe ik wel weer als jullie weg zijn . . ."

Ineens is Simone niet moe meer. Ze gaat rechtop in bed zitten en vliegt oma om de hals. „Bedankt, oma, hartelijk bedankt. Maar nu hoop ik maar dat ze mogen, anders worden de problemen morgen nog groter. Maar vertel

54

opa er nog maar niets van. Houdt het als een verrassing. Ook voor meneer en mevrouw Gelder. Die zullen er helemaal van opkijken. Die weten niet wat hen overkomt," lacht ze.

„En weet je wat," gaat oma verder, „dan kom ik morgen en overmorgen voor de koffie en het brood zorgen. En ik zal een klein beetje zuster zijn voor de zieke meneer Gelder. Zo doen we allemaal wat. Wat zullen ze blij zijn," zegt oma.

Samen gaan ze naar beneden.

Simone is opgelucht. Haar moeheid is helemaal verdwenen.

Halverwege de trap houdt Simone stil. „Mag ik dan na het eten mijn vriendinnen bellen?" vraagt ze.

„Maar natuurlijk," herhaalt oma.

„Wilt u er dan voor zorgen dat opa er niet bij is? Het moet voor hem natuurlijk een verrassing blijven," vindt Simone.

„Ik zal ervoor zorgen dat opa na het eten even uit de kamer verdwijnt. Hij moet de vuilniszakken toch nog buiten zetten. Als jij in die tussentijd belt, blijft alles voor hem geheim."

Ze zakken de trap verder af.

In de keuken is het een gepruttel in de pannen van jewelste. Oma is helemaal vergeten dat ze het eten heeft opgezet.

Tot haar grote schrik zijn de aardappelen aangebrand. De bodem van het pannetje ziet helemaal zwart. De andijvie is gelukkig niet aangebrand.

„Kan ik weer aardappelen schillen en koken," moppert

oma. ,,We hebben wel pech, vandaag," zegt ze.

,,Ik heb een veel beter idee," oppert Simone. ,,Ik heb geld van mams meegekregen. Eten we in plaats van aardappelen patat frites. Dat vindt opa toch ook lekker?"

,,Die is er dol op," gaat oma verder.

,,Dan ga ik patat halen," stelt Simone voor.

,,Ach, zal je dat nu wel doen. Je kunt je geld veel beter voor andere dingen gebruiken, Simoon. Weet je wat: een andere keer eten we patat als je vriendinnen erbij zijn. Die houden er toch ook van?"

Simone knikt. Ze weet dat ze dol zijn op patat.

Oma haalt uit de kelderkast weer een mandje aardappelen. Samen gaan ze schillen. Ze zijn zo klaar.

Als oma voor de tweede keer de aardappelen wil opzetten, komt opa in de keuken kijken. ,,Wat ruikt mijn neus?" vraagt hij lachend. ,,Is er iets aangebrand?"

,,We waren de aardappelen vergeten," zegt oma. ,,Die zijn dus aangebrand," legt ze uit.

Opa lacht. Dat is zijn vrouw nog nooit overkomen. Er moet wel iets heel bijzonders aan de hand geweest zijn, waardoor ze het eten is vergeten.

,,Ik heb een honger als een paard," bekent opa.

,,Ik ook," zegt Simone er direct achteraan.

,,Het was vandaag ook wel een beetje te veel van het goede," vertelt hij oma.

,,Morgen doe je het wel wat rustiger aan, hoor. Een man op jouw leeftijd kan niet alles meer," en ze knipoogt naar Simone.

Dan rinkelt de telefoon in de kamer. Opa gaat naar de telefoon en neemt hem op. ,,Met Brandsen," zegt hij kort. ,,Hallo, Greta. Wat zeg je me daar? Nog twaalf bestellingen? Zijn er zoveel gasten op de camping bijgekomen? Het mooie weer natuurlijk. Wat wil je in zo'n prachtige paasvakantie . . .''

Oma en Simone luisteren stiekem mee.

,,Ik weet ook niet hoe we dat allemaal klaar moeten spelen. Ik kom wel een uurtje eerder. In een uur kun je veel doen. Als jij me helpt, redden we het misschien . . .''

HOOFDSTUK 8

Oma haalt de meisjes van het station

Simone heeft afgesproken dat oma 's morgens vroeg met de bus naar de stad gaat, waar Jolanda en Annemiek per trein zullen aankomen.

Simone gaat 's morgens om kwart voor acht met opa mee naar de winkel.

Er is ontzettend veel werk te doen, maar gelukkig heeft mevrouw Gelder nog iemand gevonden die wil helpen.

Met meneer Gelder gaat het steeds beter, hoewel hij van de dokter de eerste dagen zijn bed nog niet uit mag.

Toen opa vroeg waarom oma vanochtend ook zo vroeg al met het avondeten bezig was, antwoordde oma dat ze vandaag eens lekker van het voorjaarszonnetje ging genieten.

Maar natuurlijk was er een heel andere reden waarom oma al zo vroeg de aardappelen schilde en de bloemkool omgekeerd in een pan met zout water liet zakken.

Oma moest natuurlijk niet laat op het station zijn om daar Simones vriendinnen op te vangen.

De meisjes waren dol enthousiast toen Simone hun belde. Ze wilden eigenlijk 's avonds al komen, maar dat mocht natuurlijk niet van hun moeder.

Vandaar dat ze nu vanmorgen komen.

Direct nadat opa met Simone op de fiets is weggegaan, maakt oma zich klaar om naar de bushalte te lopen.

,,Een dagje erop uit?'' wil de buurvrouw van haar weten.

,,Eh ... nou, niet helemaal een dagje. Luister eens,'' begint ze te vertellen, terwijl ze de tijd op haar horloge goed in de gaten houdt.

,,Mijn kleindochter en ik hebben een prachtig plannetje gemaakt. Het plannetje is meer een idee van Simone, die ken je nog wel; een dochter van mijn oudste zoon. Nou, die vermaakt zich reuze met mijn man in de kruidenierswinkel van Gelder. Je weet toch wel dat hij ziek is?''

De buurvrouw knikt. Dat heeft ze gisteren al gehoord.

,,Nou, al die caravans op het kampeerterrein zitten vol mensen. Iedereen wil van het mooie paasweer genieten. Nu hebben die mensen allemaal boodschappen nodig en komen allemaal bij Gelder aan de deur. Maar Gelder is ziek en kan niets doen. Nu laten we als verrassing de vriendinnen van mijn kleindochter overkomen. Hun bed heb ik vanmorgen juist in orde gemaakt. En die komen een handje helpen. Niet in de winkel staan, natuurlijk. Daar zijn die meisjes eigenlijk een beetje te klein voor. Maar al die bestellingen klaarmaken, kunnen ze best. En daarin zit nu juist het meeste werk,'' zegt ze lachend.

,,Dat is een leuk idee, zeg. Ik wou dat ik zulke leuke kleindochters had.''

Oma kijkt nog eens op haar klokje.

Het is enkele minuten voor acht, dus ze moet nu snel voortmaken om de bus te halen.

De dames groeten elkaar en beloven morgen het praatje af te maken.

Oma loopt voor haar doen snel. Het tasje dat ze heeft meegenomen en waarin haar portemonnee zit, bengelt aan de arm.

Nog bijna honderd meter en ze heeft de bushalte bereikt. Ze hoeft niet lang te wachten, want net als ze links kijkt, komt de bus aanrijden.

,,Wat rijden die chauffeurs toch hard, tegenwoordig,'' moppert oma, die niet van hard rijden houdt.

Oma toont, als ze in de bus is gestapt, haar 65-plus kaart, die haar recht geeft op een kaartje voor de helft van de prijs.

Als ze de kaart terugstopt in de portemonnee denkt ze aan het lange verhaal dat Simone haar gisteren vertelde over het geld waarmee ze in de winkel mocht omgaan.

Ze lacht nog een keer als ze in gedachten het verhaal van Simone terug hoort. Hoe Simone kon genieten van het ontvangen van geld en het weer terug geven van wisselgeld.

De busrit duurt niet lang. Het dorpje aan de zee waar oma woont, ligt ongeveer acht kilometer bij de stad vandaan.

Onderweg wordt er een keer of zes gestopt. Tenslotte rijdt de bus door een nieuwbouwwijk en stopt uiteindelijk voor het station.

,,Als alles is goed gegaan, moeten de meisjes bij de

Als oma de trap naar de perrons afgaat, ziet ze de vriendinnen bij de bloemenstal staan. (blz. 62)

bloemenstal op me staan wachten," zegt oma zacht tegen zichzelf.

En jawel, hoor.

Net als oma de trap naar de laag gelegen perrons wil afzakken, ziet ze de twee stralende vriendinnen van Simone staan.

Jolanda en Annemiek kennen oma heel goed.

Ze hebben haar dikwijls bij Simone thuis ontmoet.

Het is ook een echte oma van hun.

Oma krijgt van de meisjes een dikke pakkerd.

Ze zijn allemaal blij dat ze elkaar na lange tijd weer eens zien.

,,Kom, meisjes, we moeten snel weer verder, anders zijn jullie niet op tijd in de winkel. Die gaat straks om negen uur open," begint ze te vertellen.

Oma praat natuurlijk honderduit. Hoe meneer Gelder ziek is geworden en hoe lang hij nog in bed moet blijven. Natuurlijk vertelt ze de meisjes ook wat ze straks in de winkel moeten doen.

,,We hebben er reuze zin in," zegt Jolanda.

,,We hebben in de trein al gerepeteerd. Er zat niemand in de coupé dan alleen wij tweetjes en toen hebben we kruidenierswinkeltje gespeeld," vertelt Annemiek.

,,Ik was de winkeljuffrouw en Annemiek een klant," vertelt Jolanda.

,,En gelukkig hadden we geld bij ons, want zodoende konden we echt betalen en echt terugbetalen."

,,En hebben jullie je niet vergist?" wil oma weten.

,,Nee, hoor," zeggen de meisjes gelijk.

De bus die hen naar het dorp terug moet brengen, komt

in de verte aan.

Het is dezelfde bus waarmee oma is gekomen.

Oma laat de strippenkaart afstempelen.

Met z'n drietjes kruipen ze op de achterbank.

Annemiek vindt dat het heerlijkste plekje in de bus. Juist hier hobbelt het zo lekker.

Oma gaat tussen de meisjes in zitten.

Het is lang geleden dat ze een busreisje met jonge meisjes heeft gemaakt.

Oma vertelt ze over de bestellingen die moeten worden klaargemaakt en weggebracht.

Ze vertelt Jolanda en Annemiek ook dat de dozen boodschappen met een bakfiets worden weggebracht.

,,Dat wil ik graag doen,'' begint Annemiek.

,,Nou, dat moet je dan maar aan opa vragen, want die regelt de bezorgdienst,'' zegt ze lachend. ,,Die is directeur van de uitbrengwijk,'' gaat ze verder. ,,Opa heeft een speciale route. En als hij die vandaag en morgen neemt, rijdt hij geen meter te veel. Wat dat betreft, lijkt het wel een besteller van de PTT die ook altijd alles keurig van te voren op straat en huisnummer legt.''

,,En als de bakfiets leeg is, oma. Mogen we er dan eens in zitten?''

,,Ik weet het niet, ik weet het niet. Dat vraag je opa straks maar. Maar ik denk dat hij dat niet erg vindt. Hij houdt best van een grapje.''

De bus rijdt opnieuw door de nieuwbouwwijk en kiest even later de weg naar het dorp.

Het is nog slechts tien minuten rijden, dan zijn ze er.

Oma vertelt de meisjes dat ze eerst met haar meegaan

en dat ze dan met z'n drietjes naar de winkel gaan.

De meisjes gaan via de winkeldeur naar binnen en oma neemt de achterdeur. Oma heeft tenslotte aangeboden voor meneer Gelder te zorgen en op zijn tijd ook voor een hapje en een drankje.

De derde halte van het dorp is de bushalte, die het dichtst bij het huisje van oma en opa ligt. Kort voor de halte mag Annemiek op het belletje drukken.

De middendeuren worden opengedaan. Oma verlaat als eerste de bus en daarna stappen Jolanda en Annemiek uit.

,,Toch nog een leuke paasvakantie,'' zucht Jolanda. ,,En nog wel bij Simones oma,'' zegt ze vrolijk.

,,Geen echte vakantie, hoor,'' zegt oma.

,,Het wordt een echte werkvakantie . . .''

HOOFDSTUK 9

Winkeljassen voor Simones vriendinnen

Om precies negen uur doet mevrouw Gelder de winkeldeur van het slot.

De eerste klanten staan al te wachten.

Het zijn dorpelingen. Mensen die in het dorp wonen en bijna iedere dag om deze tijd kleine boodschappen komen halen.

,,Goedemorgen, mevrouw Gelder,'' beginnen de dames en leggen het boodschappenlijstje op de toonbank.

Natuurlijk vragen de klanten weer hoe het met haar man gaat.

,,Hij is aan de beterende hand, hij heeft een lichte keelontsteking gehad,'' vertelt ze. ,,Maar werken is er voorlopig niet bij. Als hij uit bed mag, zal hij nog zeker een week binnen moeten blijven. Tja, als je een dagje ouder wordt, geneest een mens niet zo snel meer. Hoe graag je dat ook zou willen. . . ''

Net als ze de laatste woorden heeft gezegd, komen er nog drie klanten binnenstappen. En even later weer twee.

Mevrouw Gelder heeft hulp nodig in de winkel. Die vijf mensen kun je zomaar niet laten wachten. Die komen niet om te wachten, maar om te kopen.

Ze holt naar achteren.

,,Simoon, kom je even helpen?" roept ze.

Als Simone niet was geroepen, was ze om deze tijd toch naar de winkel gegaan. Want over enkele ogenblikken kunnen haar vriendinnen binnenkomen. En daar moet ze bij zijn.

Ze wil opa er natuurlijk ook bij hebben. Juist voor opa moet het een verrassing zijn, want die heeft vandaag het meest hulp nodig.

,,Wil jij deze mensen helpen, Simoon? Betalen is er niet bij, want deze klanten laten hun boodschappen altijd opschrijven. Een keer in de week komen ze dan betalen."

Simone pakt het eerste het beste boodschappenbriefje dat ze ziet liggen.

Ze voelt zich nu al veel beter thuis in de winkel dan gisteren. Toen kon ze sommige artikelen nog niet vinden, maar dat is er nu niet meer bij.

Bijna alles weet ze te staan.

Als ze op het briefje een ,,doosje thee" ziet staan, wacht ze even voordat ze naar de plank loopt waar allerlei soorten thee liggen uitgestald.

,,Wat voor merk wilt u hebben?" vraagt Simone, alsof ze al jarenlang achter de toonbank in deze winkel staat.

,,O, heb ik dat er niet bijgeschreven? Wat dom toch van me. Maar mevrouw Gelder had het anders wel geweten. Ik drink altijd thee van hetzelfde merk."

Simone werkt in volgorde het boodschappenbriefje af.

Dat had ze toen ze nog klein was ook altijd mee naar de kruidenier en de slager.

Dat weet ze zich nog goed te herinneren. En mams betaalde bij de kruidenier en de slager ook altijd een keer in de week.

Dat was voor iedereen veel gemakkelijker.

Als de boodschappen zijn klaargelegd, neemt mevrouw Gelder de taak van Simone over. Ze slaat de bedragen op de kassa aan en het eindbedrag schrijft ze op een briefje dat in een speciaal doosje onder de toonbank ligt.

De derde klant is geholpen en vertrekt.

Dan komt de vierde klant aan de beurt. Die neemt mevrouw Gelder weer voor haar rekening. En de vijfde klant is voor Simone.

Als de laatste klant bijna klaar is en Simone even de gelegenheid krijgt om naar buiten te kijken, ziet ze haar vriendinnen door het etalageraam naar binnen kijken,

Ze weet nu dat ze opa erbij moet halen.

Ze holt naar achter.

Mevrouw Gelder kijkt haar na, want ze weet niet waarom Simone nu ineens zo hard moet lopen.

,,Opa, wilt u even komen helpen. We kunnen het met z'n tweetjes niet meer aan,'' jokt ze.

,,Dan wachten de mensen maar een minuut langer. Keulen en Aken zijn ook niet op één dag gebouwd,'' zegt hij rustig en bedaard.

,,Maar het is nodig, opa. Nu. Komt u snel?'' en Simone is weer net zo snel weg als ze gekomen is.

Opa kan nu niets anders doen dan de boodschappen, de boodschappen laten en naar de winkel te komen.

Net als Simone terug is, gaat de winkeldeur open.

Gelukkig zijn er nu geen andere klanten bij. Dat had Simone ook zo gehoopt.

En via de achterdeur komt oma binnen.

,,Maar, Simoon, maar Greta . . .'' komt opa mopperend de winkel binnenstappen. ,,Ik kan niet steeds van mijn werk weg, anders weet ik er straks geen eind meer aan. Dat moeten jullie weten. Ik kan me maar op één ding tegelijk concentreren en dat is . . .''

,,Wat kom je doen?'' wil mevrouw Gelder weten.

,,Simoon zegt dat ik moet . . .''

Dan ziet opa twee meisjes de winkel binnenstappen. Simone zou wel op haar vriendinnen willen afvliegen, maar ze moet het spelletje meespelen tot het einde toe.

,,Maar . . .'' hapert opa. ,,Maar zijn dat niet onze . . .''

Verder komt opa niet.

,,Dat zijn Jolanda en Annemiek, Simones vriendinnen . . .''

Mevrouw Gelder staat van schrik de meisjes aan te kijken.

Wat dit nu voorstelt, weet ze niet. Zomaar twee van die wildvreemde meisjes binnen, terwijl ze niet weet wie dat zijn.

Dat is haar nog nooit overkomen.

Alle klanten kent ze. En de klanten die ze niet kent, zijn gasten van de camping.

,,Hallo, Simoon,'' juichen de twee vriendinnen. ,,Hallo, opa,'' en iedereen krijgt van de meisjes een kus.

Als ze vlak bij mevrouw Gelder staan, geven ze die ook spontaan een kus.

„Maar wie zijn jullie? Ik ken jullie helemaal niet?" zegt ze verbaasd.

Dan komt oma stiekem de winkel binnen.

„Kijk, oma, jouw kleine vriendinnen ..." zegt opa.

„Weet ik, weet ik ... Ik weet er alles van. Ik heb de meisjes al begroet. Wat jullie?"

„Maar dan wil ik nú wel eens weten wie jullie zijn en wat jullie komen doen?" vraagt mevrouw Gelder.

Nu de rust enigszins is teruggekeerd, gaan de meisjes vlak bij oma, opa en mevrouw Gelder staan.

„We komen u helpen," begint Jolanda.

„Anders waren we vandaag lekker gaan fietsen, maar Simone belde gisteravond op en vroeg of we u wilden helpen."

„Is dat echt waar, Simoon?" wil opa weten.

„Echt waar, opa. Anders blijven alle bestellingen twee of drie dagen liggen. En dat kunnen we de klanten niet aandoen. Trouwens, dan zijn alle boodschappen niet meer nodig. De mensen willen vanavond en morgen eten ..."

„Wat enig van jou, Simoon. Of is het een grapje?"

„Het is echt geen grapje. Vandaag en morgen helpen wij u drietjes door alle drukte heen. En als het overmorgen nog zo druk is, helpen we weer."

„Reuze aardig van jullie. En weten jullie wat je moet doen?"

Jolanda en Annemiek knikken. Dat weten ze natuurlijk allang.

„Dus ik heb jullie niets meer te vertellen. Nou, ik heb nog twee echte winkeljassen, trekken jullie die maar aan.

En Simoon, als ik roep, kom jij me dan weer in de winkel helpen? Mensen die halen en niet betalen, kun je al heel goed helpen. Dat heb ik zojuist wel gezien."

Vrolijk van vreugde gaan oma en opa met de drie meisjes naar achter.

Mevrouw Gelder blijft in de winkel om de volgende klant te helpen.

Ze is er zo mee klaar. Dan komt ze snel terug naar de inpakker en inpaksters.

Opa vertelt de meisjes hoe het gaat en wat ze moeten doen.

Hij heeft het Jolanda en Annemiek maar één keer te vertellen.

Oma gaat naar boven om koffie bij meneer Gelder te brengen.

Als de meisjes weten waar alles staat, gaan ze er even later hard tegenaan.

Ze vertellen Simone tussen alle bedrijven door van de reis die ze hebben gemaakt en van het winkeltje-spelen in de trein.

Ze doen goed hun best, dat merkt opa algauw.

Ze zijn echt niet gekomen om alleen maar plezier te maken. Maar natuurlijk komt opa af en toe ook met een grapje, want dat hoort erbij.

Simone wordt herhaaldelijk weggeroepen. Dan moet ze mensen helpen.

Oma brengt even later nog een kopje chocolademelk voor de meisjes en koffie voor de groten.

Maar echt koffiepauze is er in de winkel niet bij.

Er blijven mensen komen en kopen.

Heel af en toe komt Simone terug om een slok chocolademelk te nemen en er dan weer snel vandoor te gaan.

„Wat leuk dat we dit mogen doen," zegt Jolanda vrolijk. „Dat doe ik veel liever dan fietsen.

Nu zijn we tenminste echt bezig. En dat vind ik voor deze keer veel leuker dan fietsen."

HOOFDSTUK 10

De eerste bestellingen gaan de deur uit

's Middags gaat opa er voor het eerst met zijn bakfiets op uit. Hij gaat alleen. De meisjes blijven achter om de dozen boodschappen klaar te maken voor de bewoners van de caravans op het kampeerterrein aan de rand van het dorp.

Jolanda en Annemiek bedenken samen met Simone een goed systeem.

Bij alle bestellingen zijn nummers opgegeven en Simone gelooft vast dat het om de nummers van de caravans gaat. Ze maken de dozen op nummer klaar.

Op deze manier komen ze er ook achter dat nog lang niet het hele kampeerterrein vol staat.

,,Dat zegt niks,'' meent Jolanda. ,,De camping kan best vol staan. Misschien dat alle gasten er niet zijn,'' gelooft ze.

,,Natuurlijk bestelt niet iedereen boodschappen bij Gelder,'' komt Simone tussenbeide. ,,Als wij gaan kamperen, nemen we voor de eerste dagen altijd boodschap-

72

pen mee. Dan hoeven we er niet direct op uit om eten in te slaan."

Veertig dozen vol boodschappen staan klaar voor de camping.

De meisjes hopen nu maar dat opa snel terug is uit zijn bestelwijkje. Ze mogen met opa mee naar de camping.

Oma's fiets staat klaar en die van mevrouw Gelder, terwijl Jolanda de fiets mag gebruiken van de buurvrouw van de familie Gelder.

Als het allemaal meezit, zijn ze voor zes uur thuis.

Oma houdt er helemaal rekening mee.

Ze heeft een feestmaaltijd voorbereid.

Simone moet snel weer terug naar de winkel. Als er meer dan twee klanten staan, en Simone kan dat horen aan de bel van de winkeldeur, rent ze weer naar voren om mevrouw Gelder te assisteren.

Het gaat haar steeds sneller af. Ze hoeft niet meer te denken waar alles staat.

De mensen hebben maar één woord te zeggen of Simone stuift op het plekje af waar het bewuste artikel staat.

,,Meid, meid wat een drukte," zegt mevrouw Gelder. ,,Het zal wel niet waar zijn, maar het lijkt wel of die drukte niet meer ophoudt. Maar om zes uur gaat de winkel dicht. En dit keer wordt niemand geholpen die na zessen aan de deur komt," vertelt ze Simone.

Simone wil weten of dat dikwijls gebeurt.

,,Iedere dag. Dat is haast een gewoonte geworden. Maar het mag eigenlijk niet. Als de politie merkt dat we na zes uur verkopen kunnen we een boete krijgen. We mogen zelf beslissen hoe laat we open gaan 's morgens, maar de gemeenteraad heeft besloten dat we om zes uur dicht moeten," legt ze Simone uit.

„Krijgt u dan een boete?" wil ze weten.

„Natuurlijk zullen ze ons niet direct een boete geven, maar als het herhaaldelijk gebeurt wel. En daar heb ik geen zin in. Daar werken we tenslotte niet voor."

Simone begrijpt dat best.

Ze werkt opnieuw een lijstje boodschappen af.

Ze doet dat alsof ze het al jaren doet.

Als de laatste klant is verdwenen, ploft ze even op het krukje neer.

„Ik ben blij met jouw hulp," zegt mevrouw Gelder dan. „Ik had niet geweten hoe ik anders deze dag had moeten doorkomen. Natuurlijk is opa er wel, maar die kan ik ook niet alles meer laten doen. Ik vind hem nog reuze voor zijn leeftijd," zegt ze blij.

„Maar ik zal jullie goed belonen. Als jullie overmorgen weggaan, bedenk ik iets leuks. Hoe vind je dat?"

„Dat lijkt me enig," antwoordt Simone. „Maar we doen het met veel plezier. Er iets voor hebben is echt niet nodig."

„We doen hier niets voor niets," zegt mevrouw Gelder vermoeid, maar lachend. „Kom, laten we er even bij gaan zitten. Even rusten kan beslist geen kwaad."

Mevrouw Gelder rukt twee blikjes vruchtesap open. Eén voor Simone, en één voor haarzelf.

„Pak er nog twee, Simoon. Onze harde werkers op de achtergrond hebben ook vast dorst. Tja, vanochtend werden we met van alles voorzien door oma. Maar oma moet natuurlijk weer aan het avondeten denken. Zo maar even drie extra eters aan tafel is niet niks."

Dan stapt opa de winkel binnen.

„En, Brandsen. Was alles een beetje in orde?" informeert mevrouw Gelder.

„Het loopt gesmeerd. Ik had niets te veel en niets te kort. En dat gebeurt me niet veel. Meestal kom ik met iets terug dat niemand heeft besteld. Tja, en soms moet ik iets nabrengen. En daar blijkt ook nu geen sprake van te zijn," lacht hij.

Simone gaat staan en geeft hem een blikje vruchtesap. „Dat heeft u wel verdiend, opa," zegt ze.

„Ik heb dorst als een nijlpaard. Buiten lijkt het haast wel zomer, terwijl we eigenlijk nog maar in april zitten."

„Roep je vriendinnen eens. Dan gaan we het even gezellig maken," zegt mevrouw Gelder en Simone holt naar achteren en roept haar vriendinnen, die juist met de laatste bestelling bezig zijn.

„Even deze doos vullen en dan komen we," laat Jolanda weten.

„Jullie hebben ook geen tijd voor andere dingen. Kom nou, opa is er ook..."

Maar Jolanda en Annemiek vullen eerst de doos vol boodschappen. Eerst moet het werk af. Dan kunnen ze uitrusten.

Simone keert alleen terug naar de winkel. „De dames zijn nog niet klaar. Ze hebben het nu nog te druk voor limonade."

„Maar het is hier geen gevangenis. Ze zijn met vakantie, niet om te werken!"

Simone schudt haar hoofd.

„Ze zijn hier echt naar toe gekomen om te werken. En niet om vakantie te houden. Dat kunnen we altijd nog doen," lacht ze.

„Ik zal ze wel even halen," zegt opa.

Even later komt hij met Jolanda en Annemiek terug.

Beiden dragen nog steeds de lichtbruine winkeljas.

De jassen zijn de meisjes iets te lang, maar ze staan ze goed.

„Dag, dokter," grapt Simone.

De meisjes buigen met het hoofd.

„Wat is er aan de hand patiënt," vervolgt Jolanda.

„Last van . . ."

Simone durft ineens niet verder te gaan. Ze beseft dat meneer Gelder boven ziek ligt. Grapjes maken over ziek zijn, vindt ze nu niet zo geslaagd.

Maar Jolanda wil een antwoord. Ze zijn al zolang serieus geweest. Tijd voor grapjes en vrolijkheid was er de laatste uren niet bij.

Simone schudt haar hoofd.

Al had Simone op Jolanda's woorden willen doorgaan, had dat toch niet gekund, want opnieuw gaat de deur van de winkel open.

„Oma," roept Simone luidkeels. „Wat fijn dat u er weer bent. We moeten nu voor onszelf zorgen. En daar is niets aan. We willen weer graag verwend worden," lacht ze.

„Daar kom ik ook voor. Ik dacht zo, het is rond drie uur, dus theetijd. Maar ik zie dat jullie je al aan andere dranken te goed doen?"

„We hebben onszelf getrakteerd op een lekkere

vruchtesap," zegt mevrouw Gelder.

„Nou, gelijk hebben jullie. Het is buiten ook te mooi om warme thee te drinken."

Voor oma wordt ook een blikje vruchtesap opengemaakt en het voltallige personeel van de winkel is nu compleet, op meneer Gelder na natuurlijk.

Maar juist daar is oma voor gekomen. Ze vergeet haar patiënt niet.

„Ik heb pas geperst sinaasappelsap voor uw man meegebracht," en ze toont een flesje vol sinaasappelsap.

„Wat geweldig van u. Ik heb er vanmiddag ook nog aan gedacht, maar ik had er eerlijk gezegd geen tijd voor. We hebben het zo ontzettend druk gehad."

„En ik heb nog een mededeling. Als uw man het goed vindt, en ik ga het hem straks persoonlijk vragen, eten jullie vanavond allemaal bij mij. U ook, mevrouw Gelder. . ."

„Maar . . ."

„Niks geen maar. U bent straks te vermoeid om eten klaar te maken. Dat heb ik al gedaan. Ik heb voor acht personen aardappels geschild, dus iedereen kan in ieder geval raak eten in de aardappels."

„En de groente?" wil Simone weten.

„Wat ik nog meer heb klaargemaakt, blijft een verrassing tot vanavond halfzeven, want dan begint het diner. En hier is ook alvast een pannetje lekkere kippesoep voor uw man."

Als iedereen zijn dorst heeft gelest, moet er weer gewerkt worden.

De bakfiets van opa wordt vol gestopt met dozen. In

77

volgorde natuurlijk. Precies op de manier, zoals Jolanda en Annemiek ze hebben klaargezet.

En dan kan de tocht naar de camping beginnen.

Opa met de bakfiets voorop met daarachter de drie vriendinnen.

HOOFDSTUK 11

Drie meisjes op de bakfiets

Op de camping lijkt het steeds drukker te worden. Iedereen loopt er al zomers bij, terwijl de lente nog maar net begonnen is.

Als opa met zijn bakfiets het grote kampeerterrein oprijdt, direct gevolgd door de drie meisjes, komen de eerste klanten op de bakfiets af.

,,Keurig op tijd, meneer,'' hoort opa al van verre roepen.

Opa knikt. Je moest eens weten hoeveel werk ons dit gekost heeft, denkt hij.

De vriendinnen plaatsen de fietsen vlak bij de was- en doucheruimte.

,,Zullen wij de dozen wegbrengen, opa?'' stelt Simone voor. ,,Op die manier kunnen we ook kennis maken met de klanten van de camping. We weten nu wel hoe ze heten en op welk nummer ze wonen, maar wie het zijn, weten we niet.''

,,Dat kan niet, Simoon. Het belangrijkste moet nog

gebeuren. En dat is betalen en dat is nog helemaal niets voor jonge meisjes."

,,Dan geven wij de dozen af en komt u achter ons aan om het geld in ontvangst te nemen. Doe maar, opa, want Jolanda en Annemiek hebben de dozen keurig in volgorde in de bakfiets gezet. Het is een kleine moeite om het op deze manier te doen."

,,Jullie geven de boodschappen dus af en dan kom ik er achteraan om af te rekenen?"

Jolanda en Annemiek zijn er ondertussen bij komen staan.

,,Ja, dat bedoel ik. Als we alle drie een doos nemen, zijn we zo klaar. En het is tevens een goede service van de winkel."

Opa vindt het idee prima. Op deze manier wordt hij vrijgesteld van het dozen dragen. Te grote en te zware dozen draagt hij toch al niet graag.

En zo gaan de meisjes met de eerste doos op stap. Natuurlijk zijn er mensen die op opa afkomen en de boodschappen willen meenemen, maar alle aanbiedingen wijst opa van de hand. ,,De service gaat in deze paasvakantie ver," lacht hij. De eerste doos is voor een caravan met het nummer zes.

Jolanda draagt de doos voor nummer zes.

Een bel bij de kleine caravandeur is er natuurlijk niet. Vandaar dat ze zachtjes roept en zacht op het raampje klopt.

Een man komt naar buiten.

,,Tjonge, jonge," zegt hij vrolijk. ,,Ik wist niet dat de boodschappen op deze manier gebracht zouden worden.

Wat een verrassing," zegt hij lachend.

Opa kijkt goedkeurend toe. „Maar u moet niet denken dat de boodschappen altijd op deze manier worden afgeleverd. Het is omdat ik dezer dagen de beschikking heb over drie van die hardwerkende meisjes. Een volgende keer sta ik weer bij de ingang," legt opa uit.

De vrolijke meneer kan zich dat best voorstellen. „En met wie van de meisjes mag ik afrekenen?"

Opa stapt naar voren toe en haalt de grote leren portemonnee te voorschijn.

„f25,60," zegt opa en laat de kassabon zien, die onderin de doos is gestopt.

„Ik betaal u vandaag zevenentwintig gulden, meneer. Is dat goed? Die f 1,40 is fooi voor de goede bediening en aflevering. Maar niet in de winkelkassa laten verdwijnen, hoor! Dan hebben jullie er niets aan."

De meisjes zijn verrukt met deze gulle gift. Zomaar ineens f1,40 krijgen omdat de boodschappen worden gebracht.

„Nu, dank u wel, hoor. We zullen er een heerlijk ijsje voor kopen," antwoordt Simone.

Maar algauw komen de meisjes er even later achter dat van die f1,40 niet eens vier ijsjes gekocht kunnen worden. Tenminste niet voor de prijs die voor ijs op de camping wordt gerekend.

Bij de volgende klant moet er weer op het raampje worden geklopt. Ondertussen haalt Jolanda de volgende doos boodschappen uit de bakfiets.

Op deze manier hoeft er niet lang gewacht te worden.

„Reuze bedankt hoor voor die geweldige bediening,"

zegt een wat oudere vrouw tegen opa. ,,U moet weten dat we hier voor het eerst zijn. Als ik op deze manier aan boodschappen kan komen, doe ik het de volgende keer weer."

Opa heeft er geen zin in om opnieuw het hele verhaal te vertellen over de meisjes die hem alleen deze dagen helpen met boodschappen rondbrengen.

De mevrouw haalt twee briefjes van vijfentwintig uit de portemonnee. ,,Hoeveel is het?" vraagt ze.

,,Precies vijfendertig gulden," leest opa van de bon af.

,,Geef me maar een tientje terug. Vijf gulden fooi, want ik ben heel blij dat hier de boodschappen aan huis worden bezorgd. Anders had ik met die zware boodschappentas het dorp in gemoeten. Maar die vijf gulden zijn voor de meisjes hoor, meneer. Horen jullie dat?" En ze kijkt de meisjes aan.

,,Dank u wel," lachen ze alle drie.

Als ze afscheid van deze mevrouw hebben genomen, kijken ze elkaar vlak voor de volgende caravan even aan.

,,Als dat zo doorgaat, gaan jullie nog rijk naar huis. En wat moeten jullie allemaal met dat geld doen?"

De meisjes weten het nog niet. Maar iets leuks kopen, zien ze beslist wel zitten.

Als eindelijk alle dozen met boodschappen zijn rondgebracht, loopt opa bijna scheef van het vele geld dat hij op zak draagt.

,,U mag wel oppassen dat u straks niet wordt overvallen met zoveel geld," zegt Simone spottend.

,,Ik heb bescherming van jullie. We moeten straks maar even precies uitrekenen hoeveel geld er voor jullie

82

bij is. Als ik goed heb meegerekend, kunnen jullie straks nog bijna veertig gulden verdelen. Daar moet ik bijna twee dagen hard voor werken. Maar het is jullie van harte gegund.''

,,Maar als u nog een extra centje wilt bijverdienen, brengt u de boodschappen voortaan toch ook bij de caravan?'' oppert Simone.

,,Ik denk er niet aan, Simoon. Ik doe het niet om geld te verdienen. Ik doe het omdat ik dit zulk leuk werk vind. En natuurlijk om iets te doen te hebben.''

Dan holt Simone vooruit en wipt bij de bakfiets aangekomen op het grote zadel.

,,Jullie erin,'' brult ze van verre.

Dat laten de meisjes zich geen twee keer zeggen. Simone op het zadel en de meisjes in de bakfiets kan veel plezier betekenen.

Opa laat de meisjes gaan. Hij waarschuwt ze wel dat ze niet te wild met de bakfiets moeten omspringen. Hij moet zeker nog enkele jaren mee. En met een kapotte bakfiets terugkomen, wil opa nu ook weer niet. Simone trapt zo hard ze kan.

Jolanda zit voorin en daarachter wiebelt Annemiek heen en weer.

,,Laten we opa vragen of we terug met de bakfiets mogen. Vanavond kunnen we altijd de fietsen nog halen,'' stelt Jolanda voor.

Simone vraagt het aan haar opa. En het mag!

Opa pakt een van de drie damesfietsen en fietst de meisjes achterna.

De fietssleuteltjes van de andere twee fietsen heeft hij

opgeborgen. Vanavond komen ze de fietsen wel ophalen.

Op het verharde fietspad fietst het nog veel beter dan op het gras van de camping.

Simone maakt vaart. En het zit haar mee, want het fietspad dat naar de zee loopt, telt heerlijke bochten en behoorlijke hobbels.

,,Daar loopt het naar beneden,'' brult Simone dan.

Angstig kijken de meisjes voor zich uit, waar ze het fietspad enigszins in de diepte zien verdwijnen.

,,Dan hoef je niet te trappen,'' roept Jolanda.

Opa bekijkt alles van een afstand. Heel rustig rijdt hij achter de meisjes aan.

Maar als hij eenmaal ziet dat de meisjes er met de bakfiets harder vandoor gaan dan hij eigenlijk verwachtte, gaat hij zich toch wel zorgen maken.

,,Niet te hard, Simoon,'' roept Annemiek.

,,Maar, maar. . . Help, opa, ik kan niet meer remmen!'' roept Simone angstig. ,,We rijden nu veel te hard. Welke kant moet ik dan uit?''

,,Remmen, Simoon, remmen. . . '' horen de meisjes achter zich roepen.

Opa komt snel achter hun aan, maar hij kan de bakfiets niet meer inhalen. Gelukkig rijdt er bijna niemand op het fietspad. Maar stoppen kan Simone niet meer. Ze kijkt heel vlug links en rechts van zich en gelukkig bemerkt ze dat er allemaal zand ligt.

Er komt een fietser aan.

,,Weg, weg . . .'' gilt Simone. ,,Ik kan niet meer stoppen!''

De bakfiets rijdt door. Van stoppen is nog geen sprake.

,,Help opa, ik kan niet meer remmen!'' roept Simone angstig. (blz. 84)

Simone heeft de voeten van de trappers afgehaald en die draaien nu zo hard mee dat ze ze onmogelijk tot stilstand kan brengen.

Maar ondertussen heeft opa de meisjes op de fiets bijna bereikt.

,,De bakfiets het zand inrijden,'' stelt hij hard roepend voor.

Ineens drukt Simone de bakfiets naar links en de grote driewieler belandt in het zand.

Als hij stilstaat, kan niemand iets van de schrik zeggen. Ze kijken elkaar aan.

Dan ineens brullen ze hard van het lachen. Want gelukkig is het zo nog goed afgelopen.

HOOFDSTUK 12

Een verrassing voor de winkelmeisjes

Het diner dat oma heeft klaargemaakt, smaakt voortreffelijk.

Van koude aardappelen, zure uitjes, augurk en een beetje mayonaise heeft oma een slaatje gemaakt.

Daarna natuurlijk heerlijke groentensoep, die alleen oma maar kan maken.

Het hoofdgerecht bestond uit aardappelen, gekookte en gebakken, met sla, appelmoes, worteltjes, en een heerlijk stukje biefstuk.

En nu zitten ze allemaal aan het smakelijk nagerecht dat oma natuurlijk ook zelf heeft klaargemaakt.

Het is een heel bijzondere pudding, die de drie vriendinnen nog nooit eerder hebben geproefd.

,,Heerlijk is het, oma,'' prijst Simone haar grootmoeder.

,,Wat is eten dan toch lekker,'' zegt Jolanda.

Opa, Annemiek en mevrouw Gelder zijn ook allemaal vol lof over de traktaties van oma.

Ze zijn vermoeid maar voldaan, dat al het werk vandaag kon worden afgemaakt.

En het is zeker daarom dat mevrouw Gelder gaat staan en drie pakjes te voorschijn tovert.

Simone, Jolanda en Annemiek kijken verbaasd op.

Drie cadeautjes, die moeten zeker voor hun zijn. Dat kan niet anders.

Nu mevrouw Gelder helemaal opstaat, vinden de meisjes het ineens heel eng worden.

Het lijkt nu ineens zo officieel.

Het spontane, het fijne is er ineens vanaf.

De gezichten van de drie vriendinnen betrekken als mevrouw Gelder wil gaan praten.

Maar oma komt er snel even tussendoor.

Ze vindt dat het niet zo officieel moet gebeuren en stelt de meisjes op hun gemak.

,,Ach, trek het jullie niet aan. Omdat het ons allemaal zo lekker heeft gesmaakt en omdat we er vandaag allemaal hard voor hebben gewerkt, wil mevrouw Gelder iets zeggen," zegt ze rustig.

Ineens keert de lach terug op de gezichten van de meisjes.

,,Ik wil eigenlijk niets zeggen, maar zonder iets te zeggen, kan het toch ook niet. . . "

Even valt er een stilte.

Simone kijkt Jolanda aan en Annemiek kijkt naar oma.

Opa zit heerlijk van zijn sigaartje te genieten, die hij van Simone cadeau heeft gekregen.

,,Om dan maar snel te beginnen, mijn man en ik vinden het schitterend en geweldig wat jullie voor ons gedaan hebben vandaag. Als we jullie niet gehad hadden, hadden we vandaag een heleboel mensen moeten teleurstellen. En dat kan eigenlijk niet als je een eigen zaak hebt. En omdat jullie ons zo fijn hebben geholpen en omdat ik weet dat jullie ons nòg een dag komen helpen, heb ik hier een kleine verrassing voor jullie."

Ze legt naast de borden van de meisjes het pakje.

Het is een lang doosje van slechts enkele centimeters breed.

Simone voelt met de vingers wat erin zou kunnen zitten.

Dikwijls raadt ze het, maar nu weet ze het niet. Het kan een lepeltje zijn of misschien . . . Tja, misschien wel een kleine armband. Maar dat is natuurlijk veel te gek voor een dagje werken . . .

,,Ik wil er nog iets bij zeggen. Opa valt vandaag niet in de prijzen. Die wordt op een andere manier beloond. En oma krijgt natuurlijk ook iets fraais. Maar dat doen we morgen. Ik had het vandaag echt te druk om daar allemaal aan te denken. Daarom zijn eerst jullie aan de beurt. De jongeren eerst, de ouderen het laatst . . ."

,,En zo hoort het ook," zegt opa lachend.

De meisjes zijn nieuwsgierig.

Ze zouden het cadeautje direct al willen uitpakken, maar nu ze zien dat mevrouw Gelder nog staat, durft niemand het papier er vanaf te scheuren.

,,Het is een echt persoonlijk cadeautje, waarvan ik hoop dat jullie het heel lang zullen dragen. Maak het pakje nu maar open . . ."

Simone ziet de vrolijke gezichten van oma en opa.

Ze zitten er allebei glunderend bij.

Jammer vindt ze het alleen dat zij nu niets hebben gekregen. En als het om cadeautjes uitdelen gaat, behoort mevrouw Gelder toch ook een cadeautje te hebben?

Misschien dat ze daar morgen voor kunnen zorgen. Ze werken nog een of twee dagen in de winkel en dan mogen ze nog tot het weekeinde bij oma blijven logeren.

Ze kunnen dan een prachtige strandwandeling maken en heerlijk fietsen in de bossen.

Als de meisjes gelijk beginnen met het uitpakken van het cadeautje is het een geritsel van jewelste.

Zo is het stil en zo is het harde geluid van scheurend papier te horen.

Als het papiertje eraf is, blijft er een doosje over.

,,Een armbandje,'' gokt Simone.

,,Een lepeltje,'' denkt Jolanda.

Annemiek weet nog niets.

,,En wat denk jij dat er in zit?'' wil opa weten.

,,Ik dacht een broche of zoiets. Maar we denken wel allemaal aan verschrikkelijk dure dingen. Het kan . . .''

Annemiek komt niet verder als ze ziet wat Simone uit het doosje te voorschijn haalt.

Het is echt een horloge . . .

De meisjes slaken een kreet en brengen hun hand van uiterste verbazing naar hun mond.

,,Een horloge . . .'' zegt Simone verbaasd. ,,Maar dat is toch veel te veel. Dat kan toch niet?''

De meisjes pakken het horloge uit het doosje en proberen het heel voorzichtig om hun linkerpols te doen.

In het horlogebandje zitten verschillende gaatjes en in een van de gaatjes past het pennetje vast wel.

„Schitterend, dat wilde ik altijd al hebben, maar mams vond dat ik daar nog te klein voor ben."

Dit hadden de meisjes niet verwacht.

„Mag ik even vertellen waarom we hebben besloten jullie een horloge te geven?" vertelt mevrouw Gelder.

„Mijn man heeft me er gisteren van verteld. Als opa en Simone niet op het strand geweest waren, hadden we het kostbare horloge dat mijn man gekregen heeft, nooit meer gehad. Dank zij opa en Simone hebben we dat terug. Vandaar dat we op het idee kwamen om jullie een horloge te geven. Opa, mijn man en ik hebben gemeend de fooien die jullie hebben gekregen bij het bedrag te doen dat ik jullie wilde geven. En omdat het eigenlijk helemaal niet leuk is om geld als cadeautje te geven, heb ik in overleg met oma en opa besloten de horloges te kopen."

De meisjes zijn stil van verbazing.

Dit hadden ze niet verwacht.

Dan staan ze alle drie tegelijk op.

Ze hollen op mevrouw Gelder af en geven haar een dikke klapzoen op de wang.

Drie smakkende kussen, op iedere wang een.

Direct stappen ze ook op oma en opa af.

„Ik heb helemaal geen kus verdiend," grapt opa. „Jullie hebben een kus van mij verdiend," zegt hij lachend.

En omdat nu iedereen bijna een kus heeft gehad, krijgt oma natuurlijk ook op allebei de wangen een kus.

„Omdat we zo heerlijk bij u hebben gegeten," weet

Simone. Het is een vrolijke boel in de eetkamer van oma en opa Brandsen.

„Morgen kopen we van ons zakgeld dat we hebben meegekregen nog iets leuks voor oma en opa," deelt Simone haar twee vriendinnen mee.

„Dat doen we. Net zo'n verrassing als de verrassing van mevrouw Gelder," lacht Jolanda.

Opa zet een gezellig muziekje op en oma gaat naar de keuken om de allerlaatste traktatie te halen.

Het is ijs met slagroom.

De vriendinnen voelen aan hun buik.

Daar kan bijna niets meer bij.

„IJs is er voor de gaatjes," merkt opa vrolijk op.

En heel trots worden de horloges van heel dichtbij bekeken.

Dit hadden de drie vriendinnen nooit verwacht.

„Na de paasvakantie nemen we de horloges mee naar school en laten we ze aan iedereen zien," stelt Simone voor.

„En wat zeggen jullie dan?"

„Dat we ze van u hebben gekregen," antwoordt Annemiek.

„Nee, dat is helemaal niet waar. Jullie zeggen heel eerlijk dat jullie dat horloge echt hebben verdiend. Dat is toch zo?"

Opa en oma knikken.

Ze hebben ze echt verdiend, merken ze op.

Er worden plannen gemaakt voor de laatste dagen dat ze bij oma en opa zijn.

Mevrouw Gelder gaat na het diner naar huis. Haar man

die wel steeds beter wordt maar toch nog in bed ligt, kan niet te lang alleen worden gelaten. Hij moet snel opknappen om weer in de winkel te kunnen helpen.

Spontaan geven ze mevrouw Gelder de jas aan, nemen afscheid van haar en zwaaien haar even later na als ze op de fiets weer teruggaat naar het kruidenierswinkeltje.

,,Ze is hier precies twee uur geweest,'' lacht Simone.

,,Nee, hoor, één uur en achtenvijftig minuten. Kijk maar op de klok van oma, want die loopt twee minuten achter. . . ''

Alle drie de meisjes lachen blij. Wat heerlijk vinden ze het een eigen horloge verdiend te hebben . . .

In de ONS GENOEGENSERIE zijn de volgende boeken
verkrijgbaar:

Wanneer je vragen hebt over onze boeken, de schrijfsters of schrijvers,
stuur dan een briefje naar

UITGEVERIJ KLUITMAN ALKMAAR
Postbus 123   1800 AC   Alkmaar